総合判例研究叢書

刑事訴訟法 (13)

上告審における
　　職権破棄理由……………龍 岡 資 久

刑 事 補 償 ………………………横山晃一郎

有 斐 閣

刑事訴訟法・編集委員

佐伯千仭
団藤重光

序

フランスにおいて、自由法学の名とともに判例の研究が異常な発達を遂げているのは、その民法典が百五十余年の齢を重ねたからだといわれている。それに比較すると、わが国の諸法典は、まだ若い。最も古いものでも、六、七十年の年月を経たに過ぎない。しかし、わが国の諸法典は、いずれも、近代的法制を全く知らなかつたところに輸入されたものである。そのことを思えば、この六十年の間に極めて重要な判例の変遷があつたであろうことは、容易に想像がつく。事実、わが国の諸法典は、それに関連する判例の研究でこれを補充しなければ、その正確な意味を理解し得ないようになつている。

判例が法源であるかどうかの理論については、今日なお議論の余地があろう。しかし、実際問題として、多くの条項が判例によつてその具体的な意義を明らかにされているばかりでなく、判例によつて特殊の制度が創造されている例も、決して少なくはない。判例研究の重要なことについては、何人も異議のないことであろう。

判例の創造した特殊の制度の内容を明らかにするためにはもちろんのこと、判例によつて明らかにされた条項の意義を探るためにも、判例の総合的な研究が必要である。同一の事項についてのすべての判決を採り、取り扱われた事実の微妙な差異に注意しながら、総合的・発展的に研究するのでなければ、判例の研究は、決して終局の目的を達することはできない。そしてそれには、時間をかけた克明な努力を必要とする。

幸なことには、わが国でも、十数年来、そうした研究の必要が感じられ、優れた成果も少なくないようになつた。いまや、この成果を集め、足らざるを補ない、欠けたるを充たし、全分野にわたる研究を完成すべき時期に際会している。

かようにして、われわれは、全国の学者を動員し、すでに優れた研究のできているものについては、その補訂を乞い、まだ研究の尽されていないものについては、新たに適任者にお願いして、ここに「総合判例研究叢書」を編むことにした。第一回に発表したものは、各法域に亘る重要な問題のうち、研究成果の比較的早くでき上ると予想されるものである。これに洩れた事項でさらに重要なもののあることは、われわれもよく知つている。やがて、第二回、第三回と編集を継続して、完全な総合判例法の完成を期するつもりである。ここに、編集に当つての所信を述べ、協力される諸学者に深甚の謝意を表するとともに、同学の士の援助を願う次第である。

昭和三十一年五月

編集代表
小野清一郎　宮沢俊義
末川　博　我妻　栄
中川善之助

凡例

一　判例の重要なものについては、判旨、事実、上告論旨等を引用し、各件毎に一連番号を附した。

二　判例年月日、巻数、頁数等を示すには、おおむね左の略号を用いた。

大判大五・一一・八民録二二・二〇七七　（大審院判決録）

（大正五年十一月八日、大審院判決、大審院民事判決録二十二輯二〇七七頁）

大判大一四・四・二三刑集四・二六二　（大審院判例集）

最判昭二二・一二・一五刑集一・一・八〇　（最高裁判所判例集）

（昭和二十二年十二月十五日、最高裁判所判決、最高裁判所刑事判例集一巻一号八〇頁）

大判昭二・一二・六新聞二七九一・一五　（法律新聞）

大判昭三・九・二〇評論一八民法五七五　（法律評論）

大判昭四・五・二二裁判例三刑法五五　（大審院裁判例）

福岡高判昭二六・一二・一四刑集四・一四・二一一四　（高等裁判所判例集）

大阪高判昭二八・七・四下級民集四・七・九七一　（下級裁判所民事裁判例集）

最判昭二八・二・二〇行政例集四・二・二三一　（行政事件裁判例集）

名古屋高判昭二五・五・八特一〇・七〇　（高等裁判所刑事判決特報）

東京高判昭三〇・一〇・二四東京高時報六・二民二四九　（東京高等裁判所判決時報）

札幌高決昭二九・七・二三高裁特報一・二・七一　（高等裁判所刑事裁判特報）
前橋地決昭三〇・六・三〇労民集六・四・三八九　（労働関係民事裁判例集）

その他に、例えば次のような略語を用いた。

裁判所時報＝裁　時　家庭裁判所月報＝家裁月報
判例時報＝判　時　判例タイムズ＝判　タ

目次

上告審における職権破棄理由

龍岡資久

刑事補償

横山晃一郎

上告審における職権破棄理由

龍岡資久

はしがき

刑訴四一一条は、上告裁判所は、同四〇五条各号に規定する事由（憲法違反と判例違反）がない場合であつても、一、判決に影響を及ぼすべき法令の違反があるか、二、刑の量定が著しく不当であるか、三、判決に影響を及ぼすべき重大な事実の誤認があるか、四、再審請求をすることができる場合に当る事由があるか、五、判決があつた後に刑の廃止若しくは変更または大赦があつたか、のいずれかの場合、或るいは、これらの事由の幾つかが競合する場合で、原判決を破棄しなければ著しく正義に反すると認めるときは、判決で、原判決を破棄することができる旨を、規定している。

私に与えられたテーマ、「上告審における職権破棄理由」が、実に、この刑訴四一一条に規定されているものであることは、ここに、あらためていうまでもない。従つて、本稿の目的は、判例を手懸りとし、学説に導びかれつつ、じつと、この刑訴四一一条を見つめるということに尽きる。ささやかに、いわば、判例・学説＝刑訴四一一条論を展開しようというのが、本稿のねらいである。

この小稿を草するについては、直接または間接に、辱知の方々にはもちろん、未知の方々にもまた、教えを受けたところが非常に多い。ここに、これらの学恩に対し、特に、誌して、深く感謝の意を表する。

一　刑訴法四一一条の由来

刑訴四一一条は、同四〇六条と相まつて、略ぼ、英米法のサーシオレライcertiorari（上送・移送）の制度に倣らおうとしたものである（小野等・ポケット刑訴九一四頁、平場「上告審の機能」刑事法講座六巻刑訴（Ⅱ）一三一四頁）。

わが刑訴は、最高裁の負担の軽減と上告制度の濫用の防止という見地から、上告申立理由を著しく狭ばめて、憲法違反と判例違反とに限ることにした（刑訴四〇五）。しかし、わが国の上告審たる最高裁には、上告裁判所としての機能と憲法裁判所としての機能との二つが併存している（特に、平場・前掲講座一二九五頁、殊に、一三〇五頁以下を参照）

ところが、この上告申立理由の制限ということと、上告審の機能の発揮ということとの間には、実に、微妙な関係があると共に、この両者の兼ね合いということが、また、なかなか難しい。

そこで、法は、差し当り、刑訴四〇五条のほかに、同四〇六条と四一一条とを設けることによつて、この間の調整を図ろうとした（この点につき、特に、佐藤昌彦「刑訴上告理由——四〇五条と四一一条との関係」刑事判例評釈集一一巻三三四頁参照）。

従つて、刑訴四一一条の背後にあるもの、それは、法的安定の要請と具体的妥当の要請との二つである、ということができる。法的安定は、最高裁の憲法裁判所としての機能と上告裁判所としての機能との問題に連り、具体的妥当は、当事者の救済と衡平の問題に連つているのである（平場・前掲一三〇五頁以下参照）。

二　刑訴法四一一条の趣旨

一　凡そ、国務大臣・国会議員・裁判官その他公務員に、憲法を尊重し擁護する義務のあることは、憲法の明定するところであり(憲九九)、法令を解釈適用するに当つては、必らずや、憲法に反しないように、これをなすべきものである。また、判例の研究と尊重とは、公務員、殊に裁判官が日頃その信条としていることである。従つて、第一、二審の判決に憲法違反や判例違反がある場合は、先ず、少いといえるし、また、憲法違反や判例違反ということは、そう沢山にあつてはならないし、またあるべき筈もないのである。

それかあらぬか、上告審において、上告論旨として主張されるところも、真の憲法違反や判例違反は少く、多いのは、憲法違反や判例違反に名を藉りて、刑訴四一一条各号所定の事由あることを主張するものか、さもなくば、真正面から、これらの事由、殊に、法令違反、量刑不当、事実誤認があることを主張するものである(しかも、これらの主張にすら、一見、荒唐無稽なものさえあるのが、実情である。この間の消息については、田原義衛「上告論旨の傑作集」判時二七三・二七四・二七六〜二七八を参照)。

二　そこで、先ず問題となつたのが、刑訴四一一条は、一体、いかなる趣旨の規定であるかということである。

昭和二五年法律第二六七号により、刑訴施行法に三条の二が加えられ、現行刑訴の施行前に起訴があつた事件についても、刑訴四一一条が適用されることになつたが、その以前には、そのようなことはなかつた。しかし、上告の論旨中には、旧刑訴事件につき、刑訴四一一条の事由があることを主張するものが少くなかつた。そこで、先ず現われたのが、いわゆる旧法事件と刑訴四一一条との関係を論じ、兼ねて、同条の趣旨に言及した判例である。その一連の判例として、次ぎの如きものがある。

【1】「新刑訴四一一条は、その明文上明らかなように職権事項を規定したもので上告理由を認めたものではない」(最判昭二四・三・三判例カード)。

【2】「上告趣意(第四点)は、原判決は昭和二三年中(その六月二八日)に言渡されたものであるけれども、上告審の審理は昭和二四年になつてからであるから新刑訴法の施行後であつて、従つて新刑訴第四一一条第二号の規定に依り、量刑甚しく重きに失する本件では、之を以つて上告の理由と為し得るものであると主張するものであるが、新刑訴施行法第二条並びに刑訴応急措置法第一三条第二項の各規定に依り、その主張の不当なことは明白である」(最判昭二四・三・五判例カード)。

【3】新刑訴施行前に公訴の提起があつた銃砲等所持禁止令違反被告事件につき、論旨が量刑不当の主張をしたのに対し、「しかし、本件は新刑訴法施行前に公訴の提起があつた事件であるから、刑訴施行法第二条によつて、刑訴応急措置法の適用があるのである。従つて、同法第一三条第二項の規定によつて、量刑不当の主張は上告理由とすることができないのである」。また、論旨が「手続法は審判を為す時の法律を適用するのが原則であること及び新刑訴第四一一条の規定が旧法及び刑訴応急措置法よりもより強く人権を尊重するものであることを理由として、新法施行前に起訴された事件であつても新法施行と同時に新法を適用すべきであり、これを阻止した前掲刑訴施行法の規定は違憲であると主張」したのに対し、「しかし、新刑訴法を如何なる時から如何なる事件に適用するかは、経過法の立法に際して、諸般の事情を勘案して決せらるべき問題で、法律に一任されておるものである。従つて、刑訴施行法第二条が新法

施行前に公訴の提起があつた事件については、新法後もなお旧法及び応急措置法による旨を規定し、新法を適用しないことにしたのは、何等憲法に違反するものではなく、又所論の如き理由から憲法違反と解せなければならないものでもない（なお新刑訴第四一一条の規定は量刑不当をもつて独立の上告理由として認めた趣旨ではない。）」（最判昭二四・五・一八刑集三・六・八四七）。

【4】「新刑訴第四一一条は上告裁判所の職権事項としての規定であつて、上告申立理由としての規定でないことは、既に当裁判所の判例とするところである（昭和二三年（れ）第一五七七号、同二四年五月一八日大法廷判決）」（最判昭二四・五・二八判例カード）。

【5】「新刑訴第四一一条の規定は、上告理由として認められたものではなく、上告裁判所の職権事項として規定せられた趣旨のものと解すべきことは、既に当裁判所の見解とするところである（昭和二三年（れ）第一五七七号、昭和二四年五月一八日大法廷判決）」（最判昭二四・六・二五判例カード）。

【6】「新刑訴法第四一一条は、日本国憲法に規定されているものを同条に再現して規定したものではなく、新刑訴法の立案に際して始めて創定した新規定である。それ故、新刑訴法の制定される遙か以前に制定された刑訴応急措置法第一三条第二項に前記新刑訴法第四一一条の規定が含まれていないことは、云うまでもないことである。されば、刑訴施行法第二条によつて、旧刑訴法及び刑訴応急措置法が適用されて、新刑訴法の適用されない本件について、新刑訴法第四一一条が刑訴応急措置法第一三条第二項に含まれているものとして、当裁判所の職権による原判決の破毀を促す論旨は、採用することが出来ない」（最判昭二四・八・九判例カード）。

【7】「旧刑訴法により処理する、いわゆる旧法事件には刑訴第四一一条の適用がない」（東京高判昭二六・五・二六刑集四・六・六〇一）。

次ぎに現われたのが、いわゆる新法事件につき、刑訴四一一条の趣旨を明瞭に判示した判例である。

【8】新刑訴施行後に公訴の提起があつた衆議院議員選挙法ならびに昭和二二年勅令第一号違反被告事件

につき、

原審が、被告人は昭和二三年一月二九日衆議院議員候補者某に投票を得させる目的で戸別訪問をなしたものであるという事実を認定したのに対し、被告人が、上告趣意として、右の訪問は、衆議院議員選挙法第九八条にいわゆる戸別訪問に該当するものでないことは、各証拠によつて容易に窺われるから、原判決には判決に影響を及ぼすべき重大な事実の誤認があるものとして、刑訴第四一一条によつてその破棄を求めたのに対し、

「しかし、上告の申立は、刑訴第四〇五条に定めてある事由があることを理由とするときにこれを為すことができるのであつて、同法第四一一条は、上告申立の理由を定めたものではない。同条の規定は、前記第四〇五条各号に規定する事由がない場合であつても、上告裁判所が原判決を破棄しなければ著しく正義に反すると認める場合における、その職権による破棄の理由を定めたものである」(最決昭二四・七・二二刑集三・八・一三六九)。

【9】「刑訴法第四一一条は、同条各号の事由がある場合にこれを理由として上告を申し立てることを許した趣旨ではない」(最決昭二四・一〇・二〇刑集三・一〇・一六六九)。

以上によつて明らかなとおり、かかる見解は、既に、最高裁の確立した判例であつて、今日では、学者の間にも異説があることをきかない。そして、このような見解よりすれば、論旨で刑訴四一一条の主張がなされても、それはただ最高裁の職権発動を促すという意味しか持たない(小谷前裁判官も、最決昭和三〇年九月二日判例カードの中で補足意見として、このことを明らかにしておられる)と共に、たとえ、論旨にその主張がなくても、上告審が必要と思えば、いつでも、この規定を発動することができるということになる。そこで、かかる見解に対しては、更に憲法一三条・一四条・三七条等を根拠として、よく、違憲の主張がなされるが、最高裁は、その都度これを理由なきものとして、排斥し来たつている。その例としては、次ぎの如きものを挙げることができ

る。

【10】「刑訴第四〇五条が、憲法違反の外は、判例違反を理由とする場合に限り、上告を申し立てることができるものとし、同法第四一一条所定の場合を、上告理由としなかつたことは、憲法第一三条に違反しない」（最判昭二五・七・二五刑集四・八・一五一九）。

【11】「刑訴第四一一条は、憲法（第一一条以下）に違反しない」（最判昭二五・九・七刑集四・九・一六三一）。

【12】　昭和二二年勅令第一号違反被告事件につき、

弁護人が、若し刑訴四一一条を、最決昭和二四年七月二二日刑集三巻八号一三六九頁以下（前示【8】の判例）の如く解釈しなければならないとすれば、同条は、被告人の弁護権を保障した憲法三七条に違反すると主張したのに対し、

『憲法は、審級制度を如何にすべきかについては、その第八一条において「最高裁判所は一切の法律命令規則又は処分が憲法に適合するかしないかを決定する権限を有する終審裁判所である」旨を定めている以外、何等規定するところがないから、此の点以外の審級制度は立法を以つて適宜にこれを定むべきものであり（昭和二二年（れ）第四三号同二三年三月一〇日大法廷判決参照）、上告審を以つて純然たる法律審、即ち法令違反を理由とするときに限り上告を為すことを得るものとするか、又は、法令違反の外に量刑不当、若しくは、事実誤認を理由とする上告を認め、事実審理の権限をも上告審に与えるかは、一般の事情を勘案して決定せらるる立法政策の問題であつて、憲法上の適否の問題ではあり得ない（昭和二二年(れ)第五六号同二三年二月六日大法廷判決参照）こと、当裁判所の判例とするところである。従つて、上告審に如何なる事項を以つて上告申立の理由とするか、又職権調査の範囲を如何に定めるかは立法上の問題であり、憲法第八一条の外には何等これを制限した規定は存しないのであるから、刑事訴訟法がその第四〇五条各号に規定する

事由だけを上告申立の理由とすることを許し、同法第四一一条に、規定する各事由を上告審の職権による破棄事由をしながら、これを当事者からの上告申立の理由とすることを許さなかつたからといつて、憲法第八一条に牴触するものではないので、同法第四一一条が憲法第三七条若しくはその精神に違反するものということはできない』（最判昭二五・九・一九刑集四・九・一七〇六）。

しかし、若し上告を以つて、第二審判決に対する攻撃であるという点に重点を置くならば、右のような刑訴四一一条違憲論も、第二審判決に対する非難ではないとして、あつさりと、これを排斥することも可能であろう。このような考え方に立つものと思われる判例としては、次ぎの如きものがある。

【13】「弁護人の上告趣意中違憲をいう点は、原判決の維持した第一審判決の適用していない公職選挙法二五二条一項の規定が、憲法一五条に違反し無効であるというのであつて、判決に対する攻撃とは認められないから、上告適法の理由として採用し難い」（最決昭二九・二・一八判例カード）。

三　刑訴法四一一条における問題点

一　刑訴四一一条にいう「第四〇五条各号に規定する事由がない場合であつても」の意味

上告審の審理も、当事者主義が原則であつて、職権主義は例外である（最判昭和三三年二月一三日刑集一二巻二号二一八頁は、証拠調べにつき、このことを明らかにしている）。上告審として、調査の義務があるのは、論旨になつている事項についてであり、その他の事項の調査は、職権による任意的なものである（刑訴四一四・三九二）。従つて、上告審としては、差し当り、論旨になつている事項について、判断をすれば足り、論旨となつていない事項については、原則として、判断をする必要はない。現に、最判昭和三〇年九月二九日（刑集九巻一〇号二一〇二頁）の如きは、「第一審が法定刑を超えた刑を科した違法がある場合において、控訴または上告審が職権調査をなさず右違法を看過しても、法令に違反したものということはできない。」とまで、言っているが、その当否は疑問である。後にも述べるとおり、私は、上告審や控訴審にも、例外的に、職権調査をすべき義務のある場合があり、正に、右のような事項については、例外的に、職権調査の義務を認めるのが相当であろうと考える。

しかし、それはそれとして、論旨が刑訴四一一条各号の事由のみを主張し、同四〇五条の事由は、何ら、これを主張していない場合、果して、上告審において、同条の事由があることを理由として、原判決を破棄することができるものかどうか。

ことは、刑訴四一一条が、冒頭において、わざわざ、「第四〇五条各号に規定する事由がない場合であつても」と、断つていることにも関連する。

若し、先きに掲げた諸判例【1】ないし【9】の如く、刑訴四一一条を以つて、職権破棄理由を定めた規定と解し、また、前にも述べた如く、同条による破棄は、論旨の有無にかかわらず、これをなし得るものとし、なお、刑訴四〇五条各号所定の事由は、同四一一条各号所定の事由に比し、遙かに重大なものである（刑訴四〇五条の上告申立理由たる憲法違反・判例違反は、同四一一条の職権破棄理由の一たる法令違反の最たるものであろう）ことを思うならば、かかる場合には、もちろん、これを理由として、原判決を破棄することができるものといわなければならない（刑訴規則二七五条但書が、特別抗告につき、刑訴四〇五条所定の事由につき、職権調査を認めていることを参照）。そして、これが、また、刑訴四一一条が、冒頭において、わざわざ、右のように断つている趣旨に適うと共に、このことは、また、右の断り書きの反対解釈からも、当然、出て来る結論であろうと思う。私は、右の断り書きには、ただ、刑訴四一一条各号記載の事由は、上告申立理由とならないという趣旨のほかに、実は、右のような意味が、含まれているものと解する。但し、この場合における破棄は、同条のみによるのではなく、矢張り、同条と同四一〇条によるべきものと考えるほかないであろう。

なお、刑訴四一一条により原判決を破棄するに当つては、必要がある限り、いわゆる事実の取り調べがなされ得るものと解する。最高裁で事実の取調べができるか否かについては、消極・積極の両説がある。もちろん、ここには、事実の取り調べという言葉は、一体、これをいかに解すべきかの問題があるのであるが、最判昭和二八年一一月二七日刑集七巻一一号二三〇三頁以下、特に二三一五頁は、上告裁判所は、「自ら事実審理をする権能」がないといつているのに対し、いわゆる松川事件の最判昭和三四年八月一〇日刑集一三巻九号一四一九頁以下は、『本件における「諏訪メモ」の如き証拠物については、上告審で、所有者にその提出を命ずることができる。』、「上告審で右の証拠物を取り調べるにあたつては、公判にこれを顕出するをもつて足りる」、「上告審は、右の方法で取り調べた証拠物を、原判決の事実認定の当否を、判断する資料に供することができる。」旨を判示している（この点に関し、拙稿「松川事件の最高裁判例の解説」最高裁判例解説（刑事篇昭和三四年度・76事件）三二二頁以下、殊に三三三頁以下参照）。学説としては、積極説が多く、それには、事実審における如き証拠調べまでもできるという説（例えば、団藤・綱要四六一頁・四六五頁、安平・刑事上訴手続論二七三頁以下、平場・講義（四）五八五頁以下、滝川等・刑訴（法律学体系コンメンタール篇10）五七五頁）と、事項と資料と方法とによつて、これを規整しようとする説（青柳文雄・通論六〇二頁以下、同「上告審の手続及び裁判」法律実務講座刑事篇一一巻上訴（2）二五八六頁以下、同「刑訴四一一条三号による破棄判決」（一）判時一九九・二以下）とがある。

二　上告の成否と刑訴四一一条による破棄

刑訴四一一条各号による破棄は、論旨の有無にかかわらず、これをなし得るものであることは、先きにも、一言したとおりである。

それでは、同条各号によつて原判決を破棄するについては、適法に上告趣意書が差し出されていることが、必要かどうか。

この点に関し、学者の中には刑訴四一一条による破棄のためには、上告趣意書の提出は前提として必要ではなく、また、それが法令上の方式に違反している場合でも、なお且つ、可能であると解する向きもないわけではないが（例えば、青柳・通論六〇五頁。なお、後に掲げる最決昭和二七年一二月二六日および同昭和二九年九月八日における少数意見並びに最判昭和三二年二月二七日刑集一一巻二号九三五頁が、「有罪の第二審判決に対し、被告人から上告中、大赦があつたときは、被告人が所定期間内に上告趣意書を差し出さなくても、刑訴第四一一条第五号により、原判決を破棄すべきである。」としていることを参照）、例えば刑訴三三九条によつて直ちに決定で公訴を棄却するが如き場合とは異り、刑訴四一一条による破棄の場合は、少くとも、適法な上告趣意書の提出は必要なものと解したい（小野等・前掲九一五頁。なお、最判昭和二七年一月二九日判例カードが、『再審事由があるとさえ主張すれば、上告趣意書提出期間後でも有効に上告趣意書が提出出来るなどという論旨は、全く理由がないとしていること、最決昭和二七年一二月二六日刑集六巻一二号一四六六頁が、原審で同種の犯行につき有罪判決を受け、ともに上告の申立をし、当審で併合審理を受けた共同被告人の一人が、「旧刑事訴訟法事件の控訴審及び上告審における審判の特例に関する規則」第一〇条により定めた期間内に上告趣意書を差し出さなかつたときは、他の共同被告人については、原判決後に大赦があつたことを理由として原判決を破棄すべき場合でも、右上告趣意書を差し出さなかつた共同被告人に対しては、原判決を破棄すべきではない。』（前記のとおり、少数意見がある。）としていることおよび最決昭和二九年九月八日刑集八巻九号一四六七頁が、「原審で同一法令違反の罪につき、共同審理のもとに、有罪判決を受け、ともに上告の申立をした共同被告人の一人が旧刑訴第四二三条所定の期間内に上告趣意書を提出しなかつたときは、他の上告申立人については既に国法としての効力を失つた法令を適用した違法があることを理由として、原判決を破棄すべき場合でも、右上告趣意書を提出しなかつた上告申立人に対しては、原判決を破棄すべきではない。（前記のとおり、少数意見がある）」としていることを参照）。

三　原審における主張・判断の有無と刑訴四一一条

刑訴四一一条による破棄は、原審において主張・判断のあつた事項に限り、これに基づいてのみ、これをなすことができるものであるか、どうか。

上告は控訴審（場合によっては第一審）の判決に対してなされるものである。ところが、刑訴四一一条を眺めると、その一ないし四号は、少くとも、原審または原判決に、何らかの瑕疵のあつた場合であるが、ただ五号のみは、原審または原判決には、何らの瑕疵がなく、僅かに、原判決の後において、或る特殊の事由が発生した場合に関することが明らかである。一ないし四号には、第一・二審判決の過誤からの当事者の救済という色彩が濃いのに対し、五号には、事件を全体として見た場合における衡平という色彩が濃いことを看取することができる。

このような見方に立てば、刑訴四一一条所定の事由は、五号の場合は別とし、その他の場合は、すべて、原則として、原審において主張・判断されたか、または、原審の手続におけるものであることを要することになる。従つて、ただ、第一審判決にこれらの事由があつたというだけでは足りない。しかし、法令の適用の当否であるとか、控訴審で簡単に調査ができるのに、これをなさないで、その事由を看過したときとか、同一事件につき、他に、確定判決があつたときとか、その他、法律感情上、事件全体として、そのような判決の存在自体が、なお、違法であると判断されるような場合には、例外的に、控訴審での主張・判断がなくても、これによつて原判決を破棄することができるものと解すべきであろう（青柳・通論六〇五頁、同・前掲実務講座二五九八頁以下参照。但し、青柳教授は、裁判所が、当事者の主張に拘束されることなく、職権で調査の上判断すべき法令の適用については、控訴審も職権調査をなすべきであるが、訴因に原則的に拘束される事実の認定については、控訴審の職権調査義務を解除し、その中間に立つ訴訟手続については、調査の難易に応じ、場合によつては、職権調査を認むべきであるが、事実誤認・再審事由の如きは、控訴審で主張がない場合に、職権で調査しなかつたからといつて、職権調査義務に違反したとはいえない、とされるのである（同・前掲実務講座二五九九頁）。なお小谷元裁判官は、最判昭和二六年七月六日判例カードの中で、少数意見として『刑訴法第四一一条の解釈上、同条にいわゆる「原判決」の瑕疵のなかには、原判決が触れざる第一審判決の瑕疵をも含むものと解する。』と述べておられる。）。

刑訴四一二条の如きは、その根拠ともなり得るであろう。しかし、若し、控訴審の職権調査義務を常に否定する立場（例えば、平野「控訴審の構造」刑事法講座六巻刑訴Ⅱ一二五一頁、横井「控訴申立の理由」同一二七三頁以下）に立てば、刑訴四一一条による破棄は、原審において主張・判断のあつた事項に限り、且つこれに基づいてのみ、これを、なすことができるということになろう。

この点に関し、判例は、既に述べたところからも窺われるとおり、一面において、控訴裁判所に職権調査の義務なきことを判旨しつつ、他面において、その義務のある場合があることを認めている。判例中に、ニュアンスがあるのである。

（一）　前者に属する判例

【14】「刑訴三九二条二項の規定は、任意職権調査の規定であるから、」高等裁判所が、「かかる控訴趣意書に包含されない事項について調査をしなかつたからといつて、違法であるということはできない」（最決昭二五・五・一八刑集四・五・八二六）。

【15】「刑訴三九二条二項は、同条所定の事由に関し、控訴審に職権調査の義務を課したものではない」（最決昭二五・一一・一六刑集四・一一・二三三三）。

【16】上告審において、論旨が、新らたに、第一審判決には審理不尽にして証拠によらずして事実を認定した違法があると主張したのを排斥して、

「しかし、第二審裁判所は、控訴趣意書に包含されない所論第一審判決の訴訟手続に関する欠点を職権で調査しなければならない義務があるものとはいえない」（最決昭二五・一一・　三〇判例カード）。

【17】「控訴審では、控訴趣意書に包含されない事項を当然職権調査しなければならない義務を負担するものではない」（最決昭二六・五・三一判例カード）。

【18】「第一審が、法定刑を超えた刑を科した違法がある場合において、控訴または上告審が、職権調査をなさず、右違法を看過しても、法令に違反したものということはできない」（最判昭三〇・九・二九刑集九・一〇・二一〇二）。

【19】「論旨は、原判決の維持した第一審判決は、刑法一八〇条二項を適用して、告訴がないにもかかわらず、同法一七七条前段、六〇条により被告人を処罰しているが、刑法一八〇条二項は憲法一三条、一四条一項に違反するから、これが適用を是認した原判決は違憲である、と主張する。しかしかかる論旨は、原審で主張も判断もなかつた訴訟手続に関する主張であるから、適法な上告理由とならない」（最決昭三六・七・一九刑集一五・七・一一九四）。

【20】『所論は昭和二七年一月八日付検察官事務取扱検察事務官○○作成にかかる被告人の供述調書の末尾に存する「××」という署名の字体が、所論の他の供述調書等における片仮名の署名と対照すれば、被告人の自署でないことは一見明白であるとし、右供述調書の作成方式の違法と信憑力のないことを主張して、判例違反をいうが、論旨引用の判例は、旧刑訴法に関するものであつて本件に適切でなく、所論は、右調書を証拠として採用した第一審判決に対する控訴趣意として、原審で主張なく、その判断を経ていないものであるから、採用することができない』（最判昭三六・一一・二八刑集一五・一〇・一七七四）。

（二）　後者に属する判例

(1)　刑罰法令に改正があるのに、第一審判決が、新旧比照をすることなく、その重いものを適用し、第二審もまたこれを看過したのは、共に、違法であるとして、第一・二審判決を破棄したもの（最判昭二六・七・二〇刑集五・八・一六〇四）。

(2)　第一審が証拠とすることの同意の解釈を誤り、証拠能力なき供述調書を証拠として有罪の判決をし、第二審もまたこれを引用して第一審判決の事実認定を是認したのは、いずれも、失当であるとして、第一・二審判決を破棄したもの（最判昭二七・一一・二一刑集六・一〇・一二二三、同昭二七・一二・一九刑集六・一一・一三三九）。

(3)　第一審判決には、執行猶予期間中の犯罪を累犯として加重した誤りがあるとして、第一・二審判決を破棄したもの（最判昭二八・七・一七刑集七・七・一五三七）。

(4)　第二審判決には、法令の解釈を誤り、第一審判決後の大赦を看過した違法があるとして、第一・二審判決を破棄したもの（最判昭二九・一〇・二三刑集八・一〇・一六四四）。

(5)　「簡易裁判所が、裁判所法第三三条第二項所定の制限に違反し、外国人登録法違反罪について懲役刑を選択処断した違法を看過して、控訴を棄却した原判決は、第一審判決とともに、刑訴第四一一条第一号により破棄を免れない。」として、第一・二審判決を破棄したもの（最判昭三〇・一二・二〇刑集九・一四・二九〇六）。

(6)　第一審判決が賍物故買の事実を認定しながら、これに、刑法二五二条二項の横領罪の規定を適用処断し、第二審判決もこの違法に気づかなかったと認められる場合に、第一・二審判決を破棄したもの（最判昭三五・二・九集不載）。

かくて、刑訴四一一条にいう原判決の中には、同四〇五条・四一〇条による破棄の場合と同様、第二審判決のほかに、第一審判決が含まれる場合があることになる。上告審としては、第二審判決を破棄するだけで足りる場合と、第一審判決まで破棄しなければならない場合とがあるわけであり、原審が破棄自判している場合とか、原審に差し戻すことで足りるような場合には、原判決の破棄だけで足りるが、その他の場合には、第一審判決まで破棄しなければならないことになろう（平野「刑訴」法律学全集43三三〇頁参照）。

四　刑訴四一一条にいう「原判決を破棄しなければ著しく正義に反する」の意義

刑訴四一一条は、「原判決を破棄しなければ著しく正義に反する」と言う言葉を用いており、同三九七条二項が「原判決を破棄しなければ明らかに正義に反する」という言葉を用いているのと異る。前者は、正義に反する程度が著しい場合であり、後者は、正義に反することが明白な場合であるが（「法務省刑事局係官の昭和二八年一〇月全国次席検事会同における質疑に対する回答」検察月報五六号一二二頁参照）、いかなる場合が正義に反し、しかもその程度が著しいといえるかは、正義の殿堂といわれる裁判所、しかも最終審としての裁判所たる最高裁において、各事件毎に、慎重に、判断さるべきことに属し（安平・刑訴法(下)八一七頁参照）、これについては、後に、四において、刑訴四一一条各号所定の事由につき述べる際に引用する諸判例が、参照さるべきである。一般的には、原判決の存在自体、または原判決の効果として生じた法的状態が、法の理念よりして、耐え難い場合を指すであろうが（滝川幸辰等・法律学体系コンメンタール篇10刑訴五七五頁参照）、一口に、判決の主文に影響し、または少くともその蓋然性が高度であり、その判決の維持が著しく不当であるという程度に達している場合であると説明する（例えば、青柳・前掲実務講座二五九八頁）ことはできない。蓋し「判決に影響を及ぼすべき」とか、「著しく」とか、「重大な」とかいうのは刑訴四一一条各号そのものの要件にほかならないからである。四一一条により原判決を破棄するにはただこれら各号の事由が存在するというだけでは足りず、その上に、実に、この「原判決を破棄しなければ著しく正義に反する」という要件が必要なのである。その意味で、刑訴四一一条による破棄のためには、観念的・論理的には、同条各号の事由の存在が先行することになる。

なお、刑訴四一一条による破棄は、判決を以ってすることを要するから、この場合には、常に、弁論を開くことが必要である（刑訴四〇八参照）。そして、この判決には、差し戻し、または移送と、自判とがある（刑訴四一二・四一三）。なお、「上級審の裁判所の裁判における判断は、その事件について下級審の裁判所を拘束する。」（裁四）が、特に問題となるのは、事実誤認の理由による破棄判決の拘束力であつて、この問題に関しては次ぎに掲げるような判例があるほか、後に事実誤認につき述べるところが参照さるべきである。

【21】『最高裁より「原判決を破棄し本件を原審に差し戻す」とした主文を差し戻された高等裁判所は記録により併合罪の無罪部分のみにつき上告を申立てられたことが確認しえられ且つ一部上告が許されない場合にあたる特段の理由が発見されないときは右主文は無罪部分についてのみなされたものと解する』（仙台高秋田支判昭三五・四・一三刑集一三・三・二四七）。

五　刑訴四〇六条によつて上告審に係属するに至つた事件と同四一一条

刑訴四〇六条の申立があつて、これが受理されると、上告審ではこれに対し内容に入つて判断を示さなければならないことになるので、その限りにおいて、同条は上告申立理由を拡張したものともみることができる（青柳・通論六一〇頁）。

このように解すれば、刑訴四一一条は、同四〇六条によつて、上告審に係属するに至つた事件についても、その適用があると、いわなければならない（小野等・前掲九一五頁）と共に、かかる事件においては、原判決を破棄する場合はもちろん、上告を棄却する場合にも、判決を以つてしなければならないことになろう（刑訴四〇八条参照）。なお、かかる事件において、判決に影響を及ぼすべき法令違反がある場合には、それが著しく正義に反すると否とを問わず、常に、原判決を破棄すべきものであるかどうかについては、学説の岐れるところであるが（積極説としては、青柳・通論六一〇頁、消極説としては、横川・研究七九頁がある）、既に述べたような理由から、私としては、暫らく積極に解したい。

この問題に関する判例としては、次ぎの如きものがある。

【22】「刑訴第四〇六条刑訴規則第二五七条によって受理された事件についても、同法第四一一条を適用することができる」（最判昭三一・一一・二二刑集一〇・一一・一五五一）。

【23】「最高裁判所が刑訴第四〇六条により上告審として事件を受理し、申立を理由ありと認めた場合は、刑訴第四一一条第一号によって原判決を破棄すべきものである」（最判昭三二・一〇・九刑集一一・一〇・二五二〇）。

四　刑訴法四一一条各号所定の事由について

一　判決に影響を及ぼすべき法令の違反

刑訴四一一条一号は、「判決に影響を及ぼすべき法令の違反があ」って、「原判決を破棄しなければ著しく正義に反すると認め」られることを、上告審における職権破棄理由としている。

既に一言したように、刑訴四〇五条所定の憲法違反は法令違反の最たるものであり、同条所定の判例違反は、多くの場合、その実質において法令違反に帰するし、同四〇六条所定の「法令の解釈に関する重要な事項」も、法令違反の一場合たることが多いのであるが、これらは（但し、刑訴四〇六条については、その申立が受理された場合に限り）、憲法違反（および刑訴四〇六条の申立が受理された場合における「法令の解釈に関する重要な事項」）にあっては、「判決に影響を及ぼさないないことが明らかな場合」でない限り（刑訴四一〇I）、判例違反にあっては、「判決に影響を及ぼさないことが明らかな場合」でなく、且つ「上告裁判所がその判例を変更して原判決を維持するのを相当とするとき」でない限り（刑訴四一〇ⅠⅡ）、常に、破棄理由となるのであり、しかも、その破棄は義務的であるのに対し、刑訴四一一条一号所定の法令違反は、「判決に影響を及ぼ」し、且つ、上告裁判所において、「原判決を破棄しなければ著しく正義に反すると認めるとき」に限り、破棄理由となるのであり、しかも、その破棄は職権による任意的なものとなつている。従つて、刑訴四一一条所定の法令違反には、同四〇五条所定の憲法違反や判例違反を含まないものといわなければならない。

次ぎに考うべきは、この刑訴四一一条一号所定の法令違反の種類であるが、控訴理由に、法令の適用に誤りがある場合（刑訴三八〇）と、訴訟手続に法令の違反がある場合（刑訴三七七〜三七九）とがあることに鑑み（青柳・前掲実務講座二六〇〇頁以下参照）、また、刑事裁判には、刑事司法による正義の要請と刑事司法における正義の要請とが共存することから考えて（小野「刑事訴訟法の基礎理論」刑事法講座五巻刑訴(1)九〇六頁以下参照）、これにも、また、法令の適用に誤りがある場合と訴訟手続に法令の違反がある場合とを区別することができる。前者は、狭義の法令違反、または実体法違反、後者は、訴訟手続の法令違反、または訴訟法違反とも呼ぶことができる。実法体違反は判決の内容自体から、訴訟法違反は記録の調査によつて、発見できるのが普通である。いわゆる擬律錯誤は法令の適用の誤りであり、法令違反であるが、これも、理由齟齬・訴訟法違反と観念することができる場合があり、法令違反と訴訟法違反の区別も絶対的なものではない。

本号にいう「判決に影響を及ぼすべき」とは、法令違反と判決との間に因果関係の存在する高度の蓋然性がある場合を指すであろう（滝川等・前掲五七三頁。この点に関し、高田教授は本号にいう「判決に影響を及ぼすべき」とは、法令違反と判決との間に因果関係を必要とする趣旨であるが、相対的控訴理由（刑訴三七八・三八〇・三八二）との対比からいって必らずしも因果関係が具体的に明瞭であることを必要としない。但し、絶対的控訴理由たる法令違反（刑訴三七七・三七八）は、当然、「判決に影響を及ぼすべき」ものというべきである、とされる。高田・刑訴法五七三頁。なお、この問題に関する文献としては、青柳・前掲実務講座二六〇〇頁以下、赤間「判決に影響を及ぼすべき法令違反」本叢書刑訴(4)九五頁以下等がある）。

（一）　法令の適用に誤りがある場合（狭義の法令違反・実体法違反）

これには、更に、種々な場合が考えられるが、これに関する最高裁の判例としては、次ぎのようなものがある。

(1)　実体法の解釈適用を誤つて、罪とならないものを有罪としたり、有罪たるべきものを無罪とした場合につき、

（イ）　罪とならないものを有罪としたとして、原判決を破棄したもの

【24】『臨時貴金属数量等報告規則（昭和二一年大蔵省令第六三号）第二条所定の報告書の書式中に報告しなければならない金属の区分欄として、「金の地金」及び「本邦金貨」の外に「本邦古金貨」という一項があるという理由で、臨時貴金属数量等報告令第一条第一項所定の貴金属にあたらない大判小判等を同令第一条所定の報告義務の対象に属するものとすることはできない』（最判昭二七・二・一四刑集六・二・二二五）。

【25】『当初不法な目的なく他人の住居を訪れ、家人から「用があるならはいつてくれ」と挨拶されて適法にその入口土間に入つた者も、爾後家人の意に反して、またはその承諾がないのに、ほしいままに中の間座敷に土足のまま立ち入り暴行に及んだ場合には、盗犯等ノ防止及処分ニ関スル法律第一条第一項第三号にいわゆる「故ナク人ノ住居ニ侵入シタル者」にあたる』（最判昭二七・五・二〇刑集六・五・七二一）。

【26】「塩専売臨時特例により自給用に供するため政府に届け出でて塩を製造したものが、予め同特例施行規則第三条による所轄専売官署の指示を受けることなくその塩を物交のため他所に搬出したからといつ

て、旧専売法第五条違反をもつて論ずることはできない」(最判昭二七・一二・二三 刑集六・一一・一三三九)。

【27】「失業保険法第五五条の規定により会社が従業者らの違反行為につき責任を負うべき場合において、責任を負うべき従業者らが異る場合においては、会社についても公訴事実を異にするものと解すべきである」(最判昭二八・一・二七 刑集七・一六・四)。

【28】「他人の登録商標と同一の商標を、類似の商品に貼付して販売する目的で、所持していたからといつて商標法第三四条第二号違反をもつて論ずることはできない」(最判昭二八・九・三刑集七・九・一八〇〇)。

【29】「道路交通取締令（昭和二四年総理府令第二七号により改正されたもの）第三五条第二項の意義は、乗車のために設備された場所以外に乗車をさせることを禁止し、または積載のために設備された場所以外に積載することを禁止する趣旨と解すべきものではなく、乗車および積載のために設備された場所以外に乗車をさせることを禁止し、または乗車および積載のために設備された場所以外に積載をすることを禁止する趣旨と解すべきものである」(最判昭二九・二・二五 刑集八・二・一六九)。

【30】「仮処分による差押の標示が第三者により既に剥離損壊され、差押の標示としての効用が滅却された「後において被申請人等が右仮処分にかかる物件を擅に他に搬出移転した行為は刑法九六条の罪を構成しない」(最判昭二九・一一・九刑集八・一一・一七四二)。

【31】『昭和三〇年七月法律第五一号による改正前の銃砲刀剣類等所持取締令第一条にいう「刀」「ひ首」「剣」「やり」「なぎなた」とは、社会通念上右のそれぞれの類型にあてはまる形態・実質をそなえる刃物を指称するものと解すべきである』(最判昭和三一・四・一〇 刑集一〇・四・五二〇)。

【32】「甲がその所有にかかる不動産を第三者に売却し所有権を移転したが未だその旨の登記を了しない場合において、乙がその情を知りながら甲に対する債権の代物弁済として右不動産の所有権を取得しその旨の登記をしたとしても、乙は適法に所有権を取得したものであるから甲の不動産横領罪の共犯とはならな

い」(最判昭三一・六・二六刑集一〇・六・八七四)。

【33】「中型機船底曳網漁業について農林大臣の許可した操業区域として、許可証に、東経一三〇度の線と最大高潮時海岸線上兵庫県京都府界から正北の線との両線間における山口県、島根県、鳥取県及び兵庫県沖合海面と記載されている場合、右山口県、島根県、鳥取県及び兵庫県沖合海面とあるのは、広く前記両線間における一切の日本海海面中その海面に接する各県の沖合海面を指し、前記各県名は、その沖合を示す都合上一応の例示に過ぎないもので、これに限定する趣旨でないものと解するを相当とする。従つて、原判決は、この点において解釈を誤つた違法があるものといわなければならない。そして、本件操業地点が右の沖合海面であるとすれば(果してその海面であるか否かは、原審までの審理の状態では当裁判所に判明しない)、被告人等の所為は罪とならない筋合であるから、原判決の右違法は、判決に影響を及ぼすこと明らかであつて、刑訴四一一条一号により原判決を破棄しなければ著しく正義に反するものと認める」(最判昭三二・一・三一刑集一一・一・四六四)。

【34】「銃砲刀剣類等所持取締令第七条の規定による登録を受けた日本刀を所持する所為は、所持者その人の性格ないし所持の目的の如何にかかわらず、同令第二条の規定に違反せず、不法所持罪を構成しない」(最判昭三二・一〇・四刑集一一・一〇・二四七四)。

【35】『公職選挙法第二二一条第三項にいう「公職の候補者」とは、同法の規定にもとづく正式の立候補届出または推薦届出により候補者としての地位を有するに至つた者をいうものと解すべきであり、未だ正式の届出をしない、いわゆる「立候補しようとする特定人」を包含しないものと解するを相当とする』(最判昭三五・二・二三刑集一四・二・一七〇、最判昭三五・一二・二三刑集一四・一四・二二二、最判昭三六・五・二六刑集一五・五・八七一)。

【36】「本件において原判決及び第一審判決が、公職選挙法一四二条一項にいう選挙運動のために使用する文書の解釈適用を誤つたことは、ひいて罪とならない選挙運動期間前の配付行為を有罪としたことにより

事実の認定、刑の量定に影響を及ぼさざるをえないから」「刑訴四一一条一号、三号によりこれを破棄すべきである」（最判昭三六・三・一七刑集一五・三・五二七）。

【37】「職権をもつて調査すると、公職選挙法一三九条に、何人も選挙運動に関し、いかなる名義をもつてするを問わず、飲食物を提供することができないとあるのは、特定の公職の候補者の選挙運動に関して、同条所定の湯茶、菓子、弁当等を除く飲食物を提供することを禁止したものであつて、本件のように、原審の確定した事実関係の下において、特定の公職の候補者の選挙運動に限ることなく、むしろ、殆んど大部分の候補者に対し提供する意思の下に、一律に二級清酒二升宛を提供したような所為までを予想して、これを取り締ろうとしたものではないと解するを相当とする。されば、爾余の点につき審査するまでもなく、原判決の認定した被告人の所為は、前記公職選挙法一三九条にいう選挙運動に関しなされたものとは認められず、罪とならないものであつて、原判決には刑訴四一一条一号所定の事由があり、これを破棄しなければ著しく正義に反するものと認める」（最判昭三七・二・一判時二八九・四）。

（ロ）有罪たるべきものを無罪にしたとして、原判決を破棄したもの

【38】「第一審が起訴状に基ずき被告人らが住民票の原本に不実の記載をなさしめこれを備付け行使したことを認めながら、住民票は刑法一五七条一項にいう公正証書に当らないから右所為は罪とならないとして無罪を言渡し、原審もまた第一審判決の右見解を正当として、検察官の控訴を棄却したのは、法令の解釈を誤つたもので、相当でなく、原判決は刑訴四一一条一号により破棄を免れない」（最判昭三六・六・二〇刑集一五・六・九八四）

(2) 可罰的評価を誤つたもの（擬律錯誤）として、原判決を破棄したもの

【39】「終戦後広島県宇品町等に散在した未転用未整理の国有旧軍用物資の集荷を同県から委嘱された者が、既に他に転用払下済の旧軍用物資を、未転用未整理のものと誤信して集荷中、擅にこれを横領した所為は、刑法第二五二条第一項の罪にあたり、誤つて占有した物件の横領として刑法第二五四条により処断すべ

きものではない」（最判昭三〇・一一・一〇刑集九・一二・二三八七）。

【40】「法定の登録を受けることなく覚せい剤の製造を営む行為は、覚せい剤取締法第一五条、第四一条の罪にあたり、薬事法第二六条第一項、第五六条第一項の罪を構成するものではない」（最判昭三一・五・二二刑集一〇・五・七二四）。

【41】「賍物故買の事実を認定しながら、これを刑法二五六条二項に問擬せず、同二五二条二項の横領罪の規定を適用した判決は、刑訴四一一条一号により破棄すべきものである」（最判昭三五・二・九集不載）。

但し、判例は、次ぎのような場合には、たとえ擬律に誤りがあつても、刑訴四一一条一号により、原判決を破棄しなくても、著しく正義に反することはないとしている。

【42】「第一審判決が昭和二三年法律第一〇七号による改正後の関税法第七六条を適用すべき犯罪行為に対し同法条を適用せず、行為当時既に廃止された昭和二一年勅令第二七七号（昭和二〇年勅令第五四二号ポツダム宣言の受諾に伴い発する命令に関する件に基く関税法の罰則等の特令に関する件）を適用しても、その宣告刑が関税法第七六条所定の刑期範囲内であるときは、右第一審判決を維持した原判決に刑訴第四一一条にあたる事由があるものとはいえない」（最判昭二五・五・三〇刑集四・五・八七五）。

【43】「昭和二四年法律第四三号による改正前の酒税法第六六条の解釈を誤り、懲役及び罰金を併科した場合の罰金刑について刑法第四八条第二項を適用した違法があつても、被告人の上告の場合、刑訴第四一一条により原判決を破棄しなければ著しく正義に反するものとは認められない」（最判昭二五・一〇・一一刑集四・一〇・二〇七三、最決昭二八・四・九刑集七・四・八三七）。

【44】「第一審判決が、被告人の衣料品不正譲受行為につき、衣料品配給規則第五条を適用しながら、同条に規定された衣料品の内容を定めた昭和二二年九月一〇日商工省告示第五八号を適用しなかつた場合に、原判決が右第一審判決を維持しても、原判決に刑訴第四一一条にあたる事由があるとはいえない」（最判昭二五・一〇・一

七刑集四・一〇・二一〇二）。

【45】『昭和二二年五月一日農林省告示五八号には「一、食糧管理法規則第一条の五の農林大臣の指定する雑穀（一）大豆、小豆、豌豆、菜豆、以下略」と規定されていたが、同年一二月三〇日農林省告示一九六号を以て改正するに当り右告示中の「菜豆」を「いんげん」とすべきを誤つて「なたまめ」と誤記し、その誤記の儘官報に掲載せられ、後日その誤記を発見し、昭和二三年四月七日附官報正誤欄に農林事務官の名義で「なたまめ」は「いんげん」の誤りと正誤掲載されたものであるが、農林省告示の公示手続上の過誤は、農林事務官においてこれが正誤の手続を執ることは当然その権限内にあるものと解するを相当とするから、前示正誤は正当であつて、少くとも官報正誤の日以後に為された本件「手芒」の輸送委託行為にはその正誤された告示が適用されるものといわなければならない』（最判昭二五・一二・一二判例カード）。

【46】「原判決が自給塩を法定の除外事由なしに販売する場合の統制額として塩専売法に基く賠償価格を挙示していても、それが塩売捌規則に定める販売価格をこえるものであるときは、その擬律の誤は、未だ刑訴第四一一条にあたらない」（最判昭二七・一〇・三一刑集六・九・一一二九）。

【47】「酒税法一四条と同一六条の違反は、いずれも同六〇条の罰条によつて処断されるのであるから、この適条の誤は、原判決に影響がない」（最判昭二七・一二・九判例カード）。

【48】「所論の将校指揮刀が仮りに全然刃を有しない単に刀剣の形を持つた鉄片に鍍金したに過ぎないもので銃砲等所持禁止令にいわゆる刀剣類に属さないものであるとしても、原審の是認した第一審判決によれば被告人は判示多数の日本刀と共に所論の将校指揮刀を所持したものとして処罰されたものであつて、右指揮刀所持の点は判示全犯行に対比して極めて軽微な一部をなすに過ぎないのであるから、所持につき前示禁止令を適用した違法は同判決の主文の帰結には何等の影響を与えなかつたものということができる」（最決昭二七・一二・一八判例カード）。

【49】「仮りに、被告人の物価統制令違反の基礎となる統制額に取引高税を加算しなかつたことが違法であるとしても、被告人等の販売額が取引高税を加算した額を著しく超過したものであること判示に照し明白であるから、右の違法は判決に影響を及ぼしたことが明白であるとはいえない」(最決昭二八・七・三〇判例カード)。

【50】「所論A及びBの共犯関係についての原判決の説示は、所論の事実ありと仮定して無用の説明をなしたに過ぎないものであるから、この点を捉えて云為する論旨は原判決を破棄する理由となすに足りない」(最決昭二八・一〇・一判例カード)。

【51】「原判決が、主要食糧の配給に関して不実の申告をしてその配給を受けたという食糧緊急措置令第一〇条該当の罪に関する有罪判決の適用法律としては、食糧管理法施行令第一条のごとき主要食糧の何であるかを定めた法規のようなものは包含されないと判示して食糧管理法施行令第一条の適用をしなかつた第一審判決を維持したことは法令違反のそしりを免れないが、右違法は未だもつて刑訴四一一条を適用すべき場合ではない」(最判昭二八・一一・一三判例カード)。

【52】「第一審判決は、被告人の本件行為を過剰防衛行為であると認定して法律上の減軽をした上更らに酌量減軽をして被告人を懲役四年に処しているのに、原判決は証拠に基き過剰防衛行為に該当しないことも明らかであるとして被告人の控訴趣意を排斥して控訴を棄却したものであるから、原判決は第一審判決を事実誤認又は判決に影響ある法令違反ありとしてこれを破棄し、ただ被告人のため控訴をした事件であるの故を以て第一審判決の言渡した懲役刑よりも重くない刑を言渡すべきものであつたといわなければならない。それ故、この点において原判決には違法がある。しかし、本件は被告人のために上告した事件であるから、右の違法は原判決を破棄しなければ著しく正義に反するものとは認められない」(最決昭二九・四・一五判例カード)。

【53】「第一審判決によれば、被告人X及び同Yの犯罪事実(贈賄)は、理由中第二の事実として摘示されているところであつて、それは旧自転車競技法一七条一項に該当するものである。従つて同判決法律適用

の部分は、X及びYの所為を同条項に該当するものとして、それぞれ懲役六月及び懲役四月に処する旨判示した後段のみで事足り、前段中にX及びYの所為を同法一六条刑法六〇条（収賄の法条）に該当するものとしてそれぞれ懲役六月及び懲役四月に処すると判示した部分は誤つて余計なことを記したものと認められる。しかしこの誤りのために第一審判決も第二審判決も主文に影響を受けてはいない」（最決昭二九・八・三一判例カード）。

【54】「物品税証紙の偽造に対し、刑法第一五五条第三項を適用しないで、同法第一六六条第一項を適用した違法があつても、右の違法は原判決を破棄しなければ著しく正義に反するものとは認められない」（最決昭二九・一一・一一刑集八・一一・一八二一）。

【55】「室内装飾工事の請負人が特別調達局施行の工事につき同局勤務の総理府事務官に対し、一定の職務行為の依頼でなしに、単にその工事の監督促進につき何かと世話になつた謝礼および将来好意ある取扱を受けたい趣旨で金員を供与した場合これを刑法第一九八条第一九七条第一項後段に問擬しても、その違反は刑訴第四一一条第一号に該当しない」（最判昭三〇・三・一七刑集九・三・四七七）。

【56】「第一審判決は、被告会社につき同判決別表一一の犯罪に対し、昭和二四年一二月二七日法律第二八六号による改正前の物品税法第一八条第一項を適用し、同被告を罰金六十一万五千七百円に処しているが、前記犯罪の犯行時は昭和二五年一月九日であるから、これに対しては右法律第二八六号附則一項により前記改正後の物品税法第一八条を適用すべきものである。従つて第一審判決はこの点において法令の適用を誤つた違法があることとなるが、改正後の物品税法第一八条第一、二項によれば前記犯罪につき被告を金五十万円以上の罰金に処し得ること明らかであるから、右第一審判決の違法は判決に影響がなく、従つてこれを理由として判決を破棄すべきものとは認められない」（最判昭三〇・五・一七判例カード）。

【57】『職権をもつて記録により原審認定事実を調べてみるに、判示第一の事実は、被告人は判示のような趣旨で金三万五千円の金額を一たん自己に供与を受けたものと認むべきであり、次で被告人はこのうちよ

り金五千百五十二円二十五銭を使用し、他の選挙人等を饗応したことは判示第二のとおりである。してみれば原判決が破棄自判の上被告人について事実第一の判示の末尾に「交付を受け」と記載し受交付の罪と判断したのは誤りで、これを「供与を受け」とし前記の金額について受供与の罪と解するのが正しかつたのである。従つて法令の適用において、原判決が右第一の所為に対し公職選挙法二二一条一項五号を適用し、但し判示の金三万五千円中金五千百五十二円二十五銭については第二事実に吸収されると判示したのは誤りで、第一の所為は、金三万五千円全額について同法二二一条一項四号を適用すべきものである。しかし受交付の罪と受供与の罪とは、いずれも同法二二一条一項本文に掲げる同じ範囲内の刑罰を受けるのであるから、右のような誤りがあつても、判決に影響を及ぼすものとは認められず、従つて原判決を破棄しなければ著しく正義に反するものとはいえない』（最判昭三〇・六・七判例カード）。

【58】「原判決の是認した第一審判決は、その認定した二個の窃盗及び一個の強盗未遂につき所論各本条を適用の上、すべからく刑法七二条の順序に従い先ず後者につき未遂減軽をなし次に前二者と後者とにつき併合罪の加重をなすべきに拘らず、逆に先ず併合罪の加重に未遂減軽をした擬律錯誤の違法及び所論判例違背あるものであること所論のとおりであるが、若し同七二条所定の順序に従い右減軽と加重とをするならば以上三罪についての被告人に対する刑期範囲は第一審判決のそれよりも重くなるから、論旨は結局被告人に不利益な主張となり、この点からも適法な上告理由とならない」（最決昭三一・一二・二五判例カード）。

【59】「有価証券の変造にあたるものと解すべき場合に、第一審判決がこれを有価証券の偽造にあたると判示したとしても、判決を破棄する事由とはならない」（最決昭三四・二・一二判例カード）。

【60】「正式の立候補届出以後、公職の候補者、選挙運動の総括主宰者または出納責任者が公職選挙法第二二一条第一項第一号所定の行為をした事実を認定しながら、法令の適用として同条項のみを掲げ同条第三項を適用しない違法があつても、未だ原判決を破棄しなければ著しく正義に反するものとはいえない」

(最決昭三五・一〇・二八刑集一四・一二・一六六六)。

【61】「農林中央金庫の職員に対し贈賄した行為に対する法令の適用として、刑法第一九八条が掲げられている以上、農林漁業金融公庫法第一九条第二項の規定によるべき場合に、誤まつて、同法第一七条を表示したとしても、刑訴第四一一条第一号にいわゆる判決に影響を及ぼす違法があるとはいえない」(最判昭三六・七・二五刑集一五・七・一二一六)。

【62】『なお職権をもつて調査するに、当裁判所の判例（昭和三四年（あ）第一一九〇号同三五年二月二三日第三小法廷判決、刑集一四巻二号一七〇頁、昭和三五年(あ)第一四三二号同年一二月二三日第二小法廷判決、刑集一四巻一四号二二一二頁)によれば、公職選挙法第二二一条第三項にいう「公職の候補者」とは、同法の規定にもとづく正式の立候補届出または推薦届出により候補者としての法律上の地位を有するに至つた者をいうのであつて、未だ正式の立候補の届出をしない、いわゆる「立候補しようとする特定人」を包含しないものと解すべきところ、原判決の支持した第一審判決は、判示第一の(1)において選挙告示前であり従つて立候補の正式届出前であること明らかな昭和三五年五月二三日における金員供与の事実を認定しながら、これに対する法令の適用として同条第三項、第一項第三号を掲げたのは、法令の解釈適用を誤つた違法があり、右誤りを看過した原判決もまた違法あるに帰するけれども、被告人のその余の各所為はいずれも同条第三項、第一項第三号もしくは第五号に該当し、同条第三項の刑を基準として併合罪の加重をすべきであるから、結局右違法は判決に影響を及ぼさず、刑訴第四一一条第一号を適用すべきものとは認められない』(最決昭三六・七・一四判例カード)。

【63】『公職選挙法二二一条三項にいう「公職の候補者」とは、同法の規定にもとづく正式の立候補届出または推薦届出により候補者としての法律上の地位を有するに至つた者をいうのであつて、いまだ正式の届出をしない、いわゆる「立候補しようとする特定人」を包含してないものと解すべきであつて、原判決が、第一審判決中被告人甲に関する部分を破棄し、同条三項を適用処断したのは、立候補届出後の所為である第一

審判決判示第二の所為については、正当であるが、立候補届出前の所為である同第一の(イ)の所為については、法令の解釈適用を誤った違法がある。しかし、原判決は、同被告人に対し第一審判決と同額の罰金刑を科しているのであり、右刑は相当であるから、原判決の右違法は判決に影響を及ぼさず、刑訴四一一条一号を適用すべき場合に当らない』（最決昭三六・一〇・三判例カード）。

(3)　犯罪の個数の判断を誤ったものとして、原判決を破棄したもの

【64】「麻薬を譲り受けて、その場所で数時間これを所持した場合には、麻薬の譲り受けの罪のほかには、所持の別罪を構成しない」（最判昭二八・一二・一八刑集七・一二・二五六五）。

【65】「麻薬施用者（麻薬使用者）が、麻薬取締規則施行当時より麻薬取締法施行当時に跨って、自己の身体に麻薬を施用した各犯罪事実全部につき後者を適用し、併合罪として処断した違法ある第一審判決を容認した原判決は、刑訴第四一一条第一号により破棄を免れない」（最判昭二九・三・二六刑集八・三・三三七）。

【66】「特定の密輸入貨物全部の運搬保管方依頼を受けて、その一部をある倉庫まで運搬して寄蔵し、さらに同時刻頃引続いて残りの貨物を附近の倉庫まで運搬して寄蔵したときは、一罪を構成する」（最判昭二九・七・二刑集八・七・九九一）（なお、想像的競合となる児童福祉法六〇条一項の罪と売春防止法一二条の罪とを併合罪とした場合につき、最判昭和三七年四月二六日法曹時報一四集六号一三五頁、併合罪とみるべき密入国の罪とその犯人による携帯貨物の密輸入の罪とを想像的競合とした場合につき、最判昭和三七年五月一日判時二九八号二八頁）。

但し、判例は次ぎのような場合には、犯罪の個数の判断に誤りがあっても、刑訴四一一条一号により、原判決を破棄するまでのことはないとしている。

【67】「原判決には所論の瑕疵（中間に確定判決があるのを見落して、全部を併合罪として単一の刑を言渡した）があるが、右は未だ刑訴四一一条により原判決を破棄すべき事由にあたらない」（最決昭二八・九・三〇判例カード）。

【68】「麻薬の譲受けと麻薬の所持が、仮りに、所論のごとく、法律上牽連一罪であるとしても、本件では

譲受行為が二回あり、且つ譲受行為が千葉市であり、その譲受けた麻薬が東京都内に運搬され、しかも、譲受けた被告人以外の他の被告人も参加して同都内において所持されたものであるから、譲受行為とは別に独立した所持行為があつたものとも解され、いずれにしても併合罪の存することが明白な案件であるから、刑訴四一一条を適用すべきものとは認められない」（最決昭二九・一・一四判例カード）。

【69】「上告趣意第二点は贓物牙保罪と印紙犯罪処罰法二条の罪との間に刑法五四条一項前段の適用を主張し、原判決の認定した前者の罪のほか新らたに後者の罪の成立をも主張するのであつて、被告人に不利益な主張であるから不適法である」（最決昭二九・五・六判例カード）。

(4)　一審判決後併合罪の一部に、他の裁判所の判決が確定した場合につき、

【70】「併合罪にあたる犯罪事実の一部につき確定判決があつた場合には」、原判決を破棄し、「その部分につき免訴の言渡しをし、残りの部分につき審判すべきものである」（最判昭二六・八・二刑集五・九・一七二七）。

(5)　原判決が第一審判決後の大赦を看過して免訴の言渡しをしなかつた場合につき、

【71】「本件佐賀県規則三条違反の公訴事実は、昭和二七年政令第一一七号大赦令第一条第八六号により大赦せらるべきものである。右と異る見解に出て、一審判決を維持した原判決は法令の解釈を誤り、判決があつた後に大赦があつた事由を看過するという違法があることとなり、一審判決については判決後大赦があつた場合にあたり、いずれもこれを破棄しなければ著しく正義に反するものと認められる」（最判昭二九・一〇・二二刑集八・一〇・一六四四）。

(6)　新旧両法の比照をせずに重い法令を適用した場合につき、

【72】「犯罪後の法律により刑の変更があつたのに、新旧両法につき刑の比照をせず、重いものを適用処断した判決は、刑訴第四一一条第一号により破棄を免れない」（最判昭二六・七・二〇刑集五・八・一六〇四）。

但し、次ぎのような判例もあることに注意すべきである。

【73】「第一審判決の認定した六つの犯罪事実中、第一乃至第四の所為は罰金等臨時措置法施行期日前の行為であるから、新旧両法の定める罰金刑を比照した上、軽い旧法を適用すべきであるにかかわらず、第一審判決が重い新法を適用して処断したのは違法たるを免れない。しかし、前記六つの犯罪の中前の四つにつき旧法を適用するとしても、後の二つについては新法が適用されるのであるから、被告人に科せらるべき罰金は、刑法四八条二項により、各罪につき定めた罰金の合算額即ち十万四千円以下において処断せられることとなる。しかるに第一審判決及びこれを維持した原判決は被告人を罰金五千円に処したのであるから、これは本件犯情に照らして刑の量定が甚だしく不当であるとは言えず、刑訴四一一条により原判決を破棄しなければ著しく正義に反するものとは認められない」(最判昭二八・四・一四判例カード)。

(7)　累犯加重の規定の適用を誤つた場合につき、

【74】「原判決において当時被告人の判示前科の刑が執行猶予中であることを認定しながら、刑法五六条、五七条を適用して累犯加重をした上被告人を懲役一年に処する旨の言渡をなしたことは、右各法条の適用を誤つた違法があり、本件非常上告は理由があるのみならず、原判決は被告人のため不利益であること明らかであるから、刑訴四五八条一号により原判決を破棄し、被告事件につき更に判決をする」(最判昭二八・三・二〇判例カード)。

【75】「刑の執行猶予期間中に犯した罪について、右執行猶予を付せられた前科があるからとして、累犯加重の上処断することは、刑訴第四一一条第一号にあたる」(最判昭二八・七・一七刑集七・七・一五三七)。

【76】「大赦令により赦免された罪に課せられた懲役刑を前科と認定して累犯加重をした法令違反は、刑訴第四一一条第一号の場合にあたる」(最判昭二八・一〇・一六刑集七・一〇・一九四〇)。

但し、次ぎのような判例もあることに注意すべきである。

【77】「被告人に前科がないのにかかわらず、原審が前科ありとして累犯加重をした場合、前科の事実を認めうる前科調書もあり、又第一審裁判所は被告人に累犯加重の原因となる前科がないと認めたが、原審の刑と同一の刑を科していたこと、被告人は本件犯行後他の罪によつて刑に処せられたこと等の事情があるときは、原判決に刑訴第四一一条にあたる事由があるとはいえない」（最判昭二六・七・一七刑集五・八・一四六〇）。

【78】「累犯加重をするにあたり、再犯を三犯と誤つて刑法第五九条を適用しても、刑訴第四一一条を適用すべき違法とは認められない」（最決昭二七・四・一〇刑集六・四・六五三）。

【79】「窃盗の犯罪事実の一につき、累犯にあたらない場合に、累犯加重をした違法があつても、他の犯罪事実につき適法に累犯加重がなされ、その事実を最も重しと認めて併合罪加重をした所定刑期範囲内で処断した趣旨が明らかであるときは、未だ右違法は刑訴四一一条を適用すべきものとは認められない」（最決昭二八・六・一二判例カード）。

【80】「原審の是認した第一審判決が、刑法五六条一項、五七条の適用を誤つて累犯加重をした違法のあることは所論のとおりである。しかし、被告人は本件犯行の外、三箇の犯罪を犯し（内二件は本件と同様窃盗である。）ていることは記録上明らかであり、しかも本件犯行は、他の犯罪につき昭和三〇年一月一二日仮釈放せられた後数日にして同年一月二一日行つたものである等、諸般の事情を総合すれば、本件犯行はその犯情甚だ重く、被告人が懲役一年二月に処せられたことについては、上記の違法に拘らず、刑訴四一一条を適用すべきものとは認められない」（最判昭三一・七・一二判例カード）。

【81】「本件犯罪が(イ)の前科とは累犯の関係にあるが(ロ)の前科の仮出獄中の犯行である場合に、原判決が刑法第五九条を適用した違法があつても、刑訴第四一一条を適用すべき場合にあたらない」（最決昭三三・三・五判例カード）。

(8)　没収・追徴に関する規定の適用に誤りがあるとして、原判決を破棄したもの

【82】「麻薬取締法（昭和二八年法律第一四号による改正前のもの）第四七条第一項による麻薬の報告義務違反の罪について、報告しなかつた麻薬は刑法第一九条第一号にいわゆる犯罪行為を組成したる物にあたらない」（最判昭二八・一〇・一三 刑集七・一九一〇）。

【83】「麻薬施用者たる医師が塩酸モルヒネ水溶液を中毒症状を緩和するため自己の身体に施用したとの犯罪事実を認定し、その供用物件として塩酸モルヒネ散を没収した違法ある第一審判決を容認した原判決は刑訴第四一一条第一号により破棄を免れない」（最判昭二九・三・二六 刑集八・三・三三七）。

【84】「刑法一九七条の四の定める没収・追徴は――所論判例が同法旧一九七条二項について判示するとおり――必要的なものであつて、裁判所の自由裁量に属するのではないから、これを遺脱した原判決はもとより違法であり、刑訴四一一条一号により破棄を要するものと認められる」（最判昭三〇・二・一八 刑集九・二・三三二）。

【85】「公職選挙法違反事件において、審判の対象として認定されていない金員を被告人から没収した判決は、刑訴第四一一条第一号により破棄を免れない」（最判昭三一・二・一四判例カード）。

【86】「旧関税法（昭和二五年法律第一一七号による改正前及び改正後のもの）第七六条第二項に規定する免許を受けない貨物の密輸出の予備罪を認定した場合には、その予備行為に供した船舶は同法(同前)第八三条第一項により没収すべきであ」り、これ「を没収しなかつた原判決は、失当であつて、刑訴四一一条一号によりこれを破棄しなければ、著しく正義に反するものと認める」（最判昭三三・二・二一 刑集一二・二・八四九）。

【87】「右第一審判決認定の事実によれば、同判示七七個の時計は、同条（関税法一一八条）一項に掲げる同法（関税法）一一二条の犯罪にかかる貨物であり、右Hがその情を知つて被告人から有償取得しまたは運搬したものとして、原審において右Hに対し没収の言渡をしているのであるから、右一一八条二項にいわゆるこれを没収することができない場合または没収しない場合のいずれにも当らないことが明らかであつて、同項によりその価格に相当する金額を追徴することは、許されないものといわなければならない。しかるに

原判決は被告人に対しこれが追徴の言渡をしているのであつて、原判決は、この点において同項の解釈を誤つた違法があり、その違法は、判決に影響を及ぼすことが明らかであり、被告人に関する部分を破棄しなければ著しく正義に反するものと認められる」（最判昭三六・一二・一四刑集一五・一一・一八四五）（なお、同旨、最判昭三七・五・一判時二九九・三九）。

但し、次ぎのような判例もある。

【88】「原判決は、その認定事実によれば被告人○○の収受した賄賂の価額は総計一万四千三百七十五円となるにも拘らず、同被告人に対し金一万四千五百七十五円の追徴を命じている。これは原審の誤算にもとづくものであること明白であり、もとより失当たるを免れ得ないところであるが、かかる軽微な誤算があるとしても（執行に際し適当に措置し得ない訳ではないのであるから）いまだそれにより原判決を破棄しなければ著しく正義に反するものとは認められない」（最決昭二六・一二・六判例カード）。

【89】「船舶に貨物を積載して密輸入を図つた場合にその航行の用に供した海図を没収するにあたり、関税法第八三条第一項を適用した違法があつても、右の海図が被告人以外の者の所有に属さないことが明らかであつて刑法第一九条により没収しうる以上、刑訴第四一一条による破棄の事由にならない」（最判昭二八・三・二七刑集七・三・五九）。

【90】「仮りに、古い、被告人の私物であつて、朝鮮向の貨物でないから没収をしたのが違法であるとしても、右は判示多数の没収品中の一点に過ぎないから、原判決を破棄しなければ著しく正義に反するものとは認め難い」（最判昭二八・四・三〇判例カード）。

【91】「所論の認印一個は、所論のように被告人の所有に属するものでなく、被害者××の所有とすれば、これを没収したことは違法たるを免れないが、本件においては原判決を破棄しなければ著しく正義に反するものとは認められない」（最決昭三一・七・一七判例カード）。

【92】「船舶により貨物密輸出の予備をなした場合において、その用に供した船舶を旧関税法第八三条によることなく刑法第一九条第一項第二号により没収した違法があつても、右違法は未だ刑訴第四一一条第一号を適用すべきものと認められない」（最決昭三三・三・四刑集一二・三・三六七）。

(9) 罰金の計算に誤りがあるとして、原判決を破棄したもの

【93】「本件行為時における昭和一九年法律第四号経済関係罰則ノ整備ニ関スル法律五条所定の罰金刑は五千円以下であり、従犯減軽をした罰金刑は二千五百円以下であるのに、原判決は被告人に対して法律上の減軽をした処断刑の範囲を超える罰金刑を科したものであるから、刑訴施行法三条の二により適用される刑訴四一一条一号に該当する法令の違反があるといわなければならない」（最判昭二八・二・二六判例カード）。

【94】「昭和二四年一二月二七日法律第二八六号による改正前の物品税法が適用せられる事件につき、逋脱しようとした物品税額を金五五、〇〇八円と認定しながら、同法第一八条第一項だけを適用して、右金額の五倍である二七五、〇四〇円を超え、罰金二九五、〇四〇円を言渡した判決は刑訴第四一一条第一号により破棄を免れない」（最判昭三一・五・一〇刑集一〇・五・六四九）。

(10) 執行猶予の条件に関する解釈を誤り、執行猶予ができるのに、それができないとした場合につき、

【95】「併合罪の関係に立つ数罪が前後して起訴され、後に犯した罪につき刑の執行猶予が言渡されていた場合に、前に犯した罪が同時に審判されていたならば一括して執行猶予が言渡されたであろうような特別の事情を審究することなく、刑法第二五条第一号（昭和二八年法律第一九五号による改正前のもの）により刑の執行を猶予できないとした判決は、法令の解釈を誤つたもので刑訴第四一一条第一号に該当する」（最判昭二九・一一・五刑集八・一一・一七二八）。

(11) 誤つて保護観察に付した違法があるとして、原判決を破棄したもの

【96】「有罪判決において刑の執行猶予を言い渡すにあたり、保護観察に付することを得ない場合であるにかかわらず、併せて保護観察に付する旨言い渡した一審判決およびこれを看過した原判決は、共に違法であつて刑訴第四一一条第一号により破棄を免れない」（最判昭三二・一一・一刑集一一・一二・三〇三七）。

⑿　未決勾留日数の算入に誤りがあるとして、原判決を破棄したもの

【97】「刑の執行と重複する未決勾留日数を本刑に算入することは、刑法第二一条の適用を誤つた違法があり、刑訴第四一一条第一号にあたる」（最判昭三三・一一・七刑集一二・一五・三五〇四）。

【98】「本件の如く一つの公訴事実（この場合窃盗罪）による適法な勾留の効果が被告人の身柄につき他の公訴事実（公務執行妨害、傷害罪）についても及ぶ場合において裁判所が同一被告人に対する数個の公訴事実を併合して審理する場合には、無罪とした公訴事実による適法な勾留日数は、他の有罪とした公訴事実の勾留日数として計算できる（昭和二八年（あ）第五〇四七号同三〇年一二月二六日第三小法廷判決参照）のであるから、原審が前記無罪となつた窃盗罪による未決勾留日数をこれと併合審理をした公務執行妨害、傷害罪による本刑に算入することが許されないとしたのは違法であつて、原判決は刑訴四一一条一号により破棄を免れない」（最判昭三三・四・二五刑集一二・六・一二〇三）。

（二）　訴訟手続に法令の違反がある場合（訴訟手続の法令違反・訴訟法違反）

これにも、更に、種々の場合が考えられるが、これに関する最高裁の判例としては、次ぎのようなものがある。

⑴　簡裁が裁判所法三三条二項所定の制限に違反した場合につき、

【99】「簡易裁判所が、裁判所法第三三条第二項所定の制限に違反し、外国人登録法違反罪について、懲

役刑を選択処断した違法を看過して控訴を棄却した原判決は、第一審判決とともに、刑訴第四一一条第一号により破棄を免れない」（最判昭三〇・一二・二〇刑集九・一四・二九〇六）。

(2) 審理に関与しない裁判官が、判決に関与した場合につき、

【100】「審理に関与しなかつた裁判官が原判決に関与した場合は、判決に影響を及ぼすべき法令違反であつて、原判決を破棄しなければ著しく正義に反する場合にあたる」（最判昭二五・三・三〇刑集四・三・四五四。同旨、最判昭二八・四・一七刑集七・四・八七三）。

【101】「原審判事○○が原審公判に関与する以前において既に検察官の起訴状の朗読その他冒頭手続、証拠書類及び証拠物の取調、証人××の尋問等が行われ、同判事は公判手続の更新のなされないままにその証人△△の尋問及び当事者の弁論に関与したにすぎないのであつて、かくの如く公判手続の重要部分に関与しない判事が判決に関与することは口頭弁論主義直接審理主義の大原則を著しく蹂躙するものであり審理に関与した裁判官が裁判をするのと然らざる裁判官が裁判するのとでは心証を異にし従つて主文が反対になることもないではないから刑訴四一一条一号によつて原判決を破棄すべき場合にあたるものといわねばならない」（最判昭二七・五・二七判例カード）。

【102】「原判決の裁判書には、単に○○裁判長及び△△判事の両名のみが署名押印しており、右審判に関与したものと思われる××判事の署名押印はなく、またその署名押印なきことについての裁判長の事由附記もないときは、刑訴規則五五条に違反したものであり、しかもかかる法令違反は、判決に影響を及ぼすべきものであることは勿論であり、刑訴四一一条を適用するを相当とする」（最判昭二七・一二・二六判例カード）。

(3) 訴訟条件が欠けているのに有罪の判決をした場合につき、

【103】刑法一八〇条の改正以前になされた強姦事件に関し、「数人が婦人に対し、共同して暴行を加え姦淫した事実が認められるが、強姦罪について告訴が適法に取り消された場合に、同罪の手段たる共同暴行を

暴力行為等処罰に関する法律第一条違反として処罰することは違法であり、このような違法のある判決は、刑訴四一一条一号により破棄を免れない」(最判昭二七・七・一一刑集六・七・八九六。但し、この判例は、後の最決昭和二八年一二月一六日刑集七巻一二号二五五〇頁で改められている)。

【104】「検察官が犯行後一年一月余を経過したときに名誉毀損罪として公訴を提起した公訴事実を、裁判所が侮辱罪に該当する所為と認めるときは、被告人に対し公訴の時効が完成したものとして免訴の言渡をなすべきである」のに「原判決が」これを「刑法二三一条に問擬し、有罪の言渡を為したのは違法であり、原判決を破棄しなければ著しく正義に反するもの と認められる」(最判昭三一・四・一二刑集一〇・四・五四〇)。

(4)　審判の範囲を逸脱して有罪の判決をした場合につき、

【105】「起訴されていない併合罪にかかる事実を併せて認定して有罪の言渡をすることは、刑訴第四一一条第一号に該当する」(最判昭二六・一一・二刑集五・一二・二三三七)(同旨、最判昭二八・八・二七判例カード)。

【106】「第一審で起訴事実A、Bの中、Aは有罪となつたが、Bは無罪となり、検察官から無罪部分B事実に対してのみ控訴の申立があつたにもかかわらず、第二審で第一審判決を破棄自判するにあたり、被告人よりの控訴もなかつたA事実についても審理し、ABを刑法第四五条前段の併合罪とし、これに対して一つの刑を言い渡したときは、右第二審判決は、何ら控訴がなく、従つて、控訴審に係属していない事件について審判をした違法があつて、刑訴第四一一条第一号により破棄を免れない」(最判昭二八・九・二五刑集七・九・一八三二。同旨、最判昭二八・一〇・一五判例カード。なお、この事件は、「原審が控訴審として既に第一審判決の確定によつて完結した銃砲等所持禁止令違反事件についてまで審判をなした」場合に関するものであるが、これには、更に「(そして右銃砲等所持禁止令違反の点については、前示の如く第一審判決の確定により事件は完結し、その判決の効力が持続するのは当然であるから、本件ではこの点に関する原判決を破棄するのみで足るものと認める)」との説示が附加されている)。

【107】「行為の公然性について何ら明示するところなく、単に被告人甲乙両名は、S方二畳の間において、M女に対し暴行を加え、それぞれ猥褻の行為をしたとの強制猥褻の訴因に対し、訴因の変更または追加の手続をなすことなく、飲食店S方において右S及び同店の客T外二名の面前でM女に対し被告人甲乙両名それ

ぞれ公然猥褻の行為をしたとの事実を認定した有罪判決は、審判の請求を受けない事件について判決をした違法があつて刑訴四一一条一号により、破棄を免れない」（最判昭二九・八・二〇刑集八・八・一二四九）。

但し、次ぎのような判例もあることを、注意すべきである。

【108】「窃盗被告事件につき、起訴のない住居侵入を判決で認定するのは、審判の請求を受けない事件について判決した場合にあたり違法ではあるが、原判決が住居侵入と窃盗の牽連一罪の刑をもつて処断した以上、右違法は、その判決を破棄しなければ著しく正義に反するものとは認められない」（最判昭二五・六・八刑集四・六・九七二）。

【109】『二個の行為として起訴された行為を一個の包括一罪又は一個の行為にして二個の罪名に触れるものと認定しても犯罪の同一性を失わしめる理由がなく、また、もとより審判を求めていない、別個な事実を認定したものとはいえないから」、このような場合には、刑訴「第四一一条を適用すべきものと」は認められない』（最決昭二五・一〇・一九判例カード）。

(5)　訴因罰条の変更手続を要するのに、この手続を経ないで、訴因と異る事実を認定した場合につき、

【110】前示【107】と同一判例（最判昭二九・八・二〇刑集八・八・一二四九）。

【111】『「収賄の共同正犯の訴因に対し、贈賄の共同正犯の事実を認定するには、訴因罰条の変更手続を経ることを要する」から、原判決がこれに違反し、且つ右の違法が訴因の全部に関している場合には、原判決は訴訟手続に法令の違反があるものとして、刑訴四一一条一号により、破棄を免れない』（最判昭三六・六・一三刑集一五・六・九六一）。

但し、次ぎのような判例もあることに注意すべきである（この種の判例はかなりあるが、紙面の都合上、ここはその主なるもののみを掲げる）。

【112】「単純収賄の訴因につき請託収賄の事実を認定するには訴因変更手続を経ることを要する」から、「第一審がその手続をとらないで判決したことは違法たるを免れないけれども、被告人の判示㈠の所為は、

起訴状も判示認定も相一致する犯情きわめて悪質な現金五万円の請託収賄であるにかかわらず、訴因に関係のある判示(二)の各所為は各相被告人からその商品の供与を受けた事実であつて、両者を総合考量して第一審の科刑を検討してみると、結局原判決を破棄しなければ著しく正義に反するものとは認められない」(最判昭三〇・七・五刑集九・九・一七七七)。

【113】「一個の窃盗として起訴されたものを、訴因の追加変更の手続を経ないで、二個の窃盗と認定しても、公訴事実の同一性を失わず、かつ被告人の防禦に実質的な不利益を生ずる虞れがない限り、違法ではない」(最判昭三二・一〇・八刑集一一・一〇・二四八七)。

(6) 証拠法、採証法則の違反があつた場合につき、

【114】「原審は所論〇〇に対する大蔵事務官の質問調書の証拠調をしていないことが明らかである。そして右質問調書は本件罪証として有力なものと認められるのであり、かかる証拠を他の証拠と綜合して犯罪事実を認定したことは違法である。又原判決は、判示汽船の乗組員たる中華船員が連合国占領軍、その将兵又は連合国占領軍に附属し、若しくは随伴するものであることについては何らの証拠を挙示せず、従つて証拠に基ずかずして事実を認定した違法がある。かかる違法は判決に影響を及ぼし且つ著しく正義に反するものと認められる」(最判昭二六・一二・二八判例カード)。

【115】「原判決挙示の諸証拠で原審において証拠調べを経ていないものの中には極めて重要なものがあり、且つ証拠調べを経たことの明白な証拠のみでは原判示の事実を認定するに十分でないときは、刑訴四一一条に該当する」(最判昭二七・一〇・一〇判例カード)。

【116】『公訴にかかる饗応の事実について、被告人が終始これを争つてきた収賄事件の第六回公判期日において、検察官が右饗応の事実を立証するため検察官の作成した××の供述調書につき証拠調の請求をした

のに対し、主任弁護人が「右証拠調に異議なし」と述べたからといつて、被告人が右供述調書を証拠とすることに同意したと認むべき特段の事情がなく、却つて第一回公判期日には主任弁護人において司法警察員の作成した右××の供述調書を証拠とすることに明らかに同意せず、従つて同人は検察官の請求により第三回公判期日に証人として喚問されたのであるが、前記饗応の事実を肯定しなかつた事実があり、検察官は右証言に偽証の疑があるとして××を逮捕して取り調べた結果、右饗応の事実を肯認した同人の供述調書を作成して前記のごとく第六回公判期日にこれが証拠調を請求するに至つた等の事情がある場合には、被告人および主任弁護人が右供述調書を証拠とすることに同意したものと解することはできない。』「して見ると、第一審判決が被告人△△の判示事実を認定するにあたり前記供述調書三通を証拠としたことは刑訴三二〇条三二六条の解釈適用を誤つたものというべく、かかる証拠能力なき供述調書を引用して第一審判決の事実認定を是認した原判決も亦失当であり且右の違法は本件収賄罪の成否に消長を及ぼすべき性質のものであるから刑訴四一一条一号に該当するものといわなければならない」（最判昭二七・一一・二一 刑集六・一〇・一二二三）。

【117】「被告人において全面的に公訴事実を否認し、弁護人のみがこれを認め、その主張を完全に異にしている場合において、弁護人に対してのみ検察官申請の書証の証拠調申請について意見を求め、被告人に対しては右証拠調請求に対する意見および書類を証拠とすることについての同意の有無を確めず、弁護人の証拠調請求に異議がないという旨の答弁だけでただちに右書証を取り調べた上、これを有罪認定の資料とすることは違法である。」「しかもこれらの書面は第一審判決があげる有罪認定の資料としては極めて重要なものであるから、右の違法は同四一一条一号に該当するものというべくこの点において原判決及び第一審判決はとうてい破棄を免れない」（最判昭二七・一二・一九 刑集六・一一・一三二九）。

【118】「検察官より検察官の面前における供述録取書面について刑訴第三二一条第一項第二号前段により証拠調の請求があつた場合においては、裁判所は、弁護人から異議があつてもこれが証拠調を許容すべきも

のである（従つて、第一審裁判所がかかる証拠調の請求を却下した場合には、原判決ならびに第一審判決は刑訴四一一条一号により、破棄を免れない）」（最判昭二八・四・一六刑集七・四・八六五）。

【119】「被告人の当公廷における供述（自白）、被告人の司法警察員に対する供述調書（自白）と公判廷において証拠調の施行されていない被害未遂届とを証拠として窃盗未遂の犯罪事実を認定することは、刑訴第三一九条第二項に違反し同法第四一一条一号により破棄を免れない」（最判昭三〇・七・一判例カード）。

【120】「訴訟記録が紛失し上告理由の有無について証明の方法がなく、その他の原審の訴訟手続が適法になされたことを確証するに足る証拠もないときは上告理由があるものといわねばならない」（最判昭三一・一・二四刑集一〇・一・八二）。

【121】「判決における罪となるべき事実の認定の基礎となつたものと見られる推断が、ある部分は証拠を飛躍し、またある部分は証拠と相反し、間接にもまた総合しても推論によつて導くことのできない論結である場合は、右推断に基く事実認定は違法である」（最判昭三一・一・三一刑集一〇・一・一九）。

【122】いわゆる小島事件につき、「第一審判決が被告人の司法警察員に対する供述（自白）調書を他の証拠と綜合して犯罪事実を認定し、原判決もまたその自白の任意性を認め、第一審判決の右採証を是認している場合、諸般の証拠上、右自白の任意性に疑いがあるとみるのが相当で、且つ同自白が犯罪事実認定の有力な証拠となつていると認めるときは、刑訴第四一一条第一号により原判決を破棄することができる」（最判昭三三・六・一三刑集一二・九・二〇〇九）。

【123】「被告人の司法警察職員、検察官に対する各供述調書（自白）と証人の供述の証明力を争うために刑訴第三二八条にもとずき提出された被告人以外の者の司法警察職員に対する供述調書とで犯罪事実を認定した判決は、刑訴第四一一条第一号により破棄を免れない」（最判昭三三・一〇・一〇判例カード）。

【124】「被疑者の緊急逮捕に着手する以前に、その不在中になされた捜索差押の適否並びに右捜索差押調書および捜査差押にかかる麻薬の鑑定書の証拠能力に関する判断を誤つた判決は、刑訴四一一条一号により、

破棄を免れない」（最判昭三六・六・七刑集一五・六・九一五）。

但し、次ぎのような判例もあることに注意すべきである。

【125】「次に、論旨後段の各供述調書中犯罪事実に関する部分の記載については被告人××同△△同○○においてこれを証拠とすることに同意をしていないし、右各供述調書はいずれも刑訴三二一条三項に定める要件を備えていないこと記録上明らかであるから、被告人××以下二名についての判示事実認定の証拠とすることはできない筋合である。されば第一審判決が所論の各調書を被告人××以下二名についての判示事実認定の証拠としたのは違法たるを免れないのではあるが、所論の各供述調書を除きその他の第一審判決挙示の証拠だけでも被告人××以下二名についての判示事実の認定を肯認しうるのであるから、右の違法は第一審判決に影響を及ぼすこと明らかな法令の違反ではない」（最判昭二六・一〇・一八判例カード）。

【126】『裁判長が被告人に対し旧刑訴第三四七条第二項による告知をしなくても、各個の証拠につき取調を終える毎に被告人に対し意見の有無を尋ねており、最後に弁護人から「他に立証等ない。」と答えている以上、原判決に刑訴第四一一条にあたる事由あるとはいえない』（最判昭二七・三・二八判例カード）。

【127】「証拠決定をしないままで弁論を終結した違法があっても、申請された証人が単に被告人の性格を証明するためのものにすぎないときは、刑訴第四一一条第一号にいわゆる判決に影響を及ぼす違法があるとはいえない」（最判昭二七・五・一三刑集六・五・七四四）。

【128】「証拠調をしない証拠を証拠としたところで、それが他の適法な証拠の証明力を強めるためのものにすぎないものであるときは、刑訴第四一一条第一号にいわゆる判決に影響を及ぼす違法があるということはできない」（最判昭二七・五・一三刑集六・五・七四四）。

【129】「訴訟手続に法令の違反があることを控訴の理由とする場合には、その違反が判決に影響を及ぼす

ことが明らかであることを要するのであるが（刑訴三七九条参照）、仮りに所論のように第一審の証人尋問手続に違反があつたとしても、ただそれだけでは右の違法は判決に影響を及ぼすこと明らかな場合とは到底云うことができない」（最判昭二七・七・二二判例カード）。

【130】「証人を検証現場において尋問するに際し刑事訴訟法一五八条二項、刑事訴訟規則一〇八条一項所定の尋問事項の告知をした形跡が記録上、認められない違法があるが、右証拠調の決定は、当事者の意見を聴いて公判廷でなされた上、右各証人の尋問においてはいずれも被告人並びに被告人の弁護人が立会い何等異議を述べず殊に弁護人は右各証人に対し尋問している場合には、右法令違反は、単なる訴訟手続の違法に過ぎず、これを以て憲法三七条に違反するとの論旨の当らないことは勿論であるのみならず、刑訴四一一条にも当らない」（最判昭二七・一一・二六判例カード）。

【131】「被告人以外の者の司法警察員に対する供述調書が、証拠とすることの同意がなかつたため刑訴第三二八条の規定により提出された場合に、これを総合認定の証拠の一つとして挙示するのは違法であるが、他の証拠のみで事実の認定ができれば刑訴第四一一条にあたらない」（最決昭二八・二・一七刑集七・二・二三七）。

【132】『第一審第三回公判調書には、「検察官は……刑事訴訟法第三二八条により、四、〇〇の麻薬取締官作成第一回供述調書一の各取調べを請求した」と明記されているから、そのあとに、「被告人及弁護人は、右各書面の取調べに異議なく之を証拠とするに同意する……旨述べた」とあるのは、〇〇の供述調書についてはこれを事実認定の証拠とすることに同意（刑三二六条にいう同意）した趣旨でないことが明瞭である。従つて、第一審判決が右供述調書を犯罪事実認定の証拠の一つとして挙示していることは、まことに所論のとおり違法であり、原判決が被告人側の同意を理由としてこれを適法な採証と解したことは、誤であるといわなければならない。しかし、右供述調書を除外しても、第一審判決挙示の他の各証拠により本件犯罪事実は充分に認定しうるものと判断されるから、右違法は判決に影響を及ぼさず、したがつて刑訴四一一条一号を適

用すべき事由とはならない』（最決昭二八・一〇・一九判例カード）（同旨、最決昭二九・五・二一判例カード、最決昭二九・七・七判例カード）。

【133】「原判決は第一審第九回公判期日において、所論〇〇の尋問調書の証拠調の施行について被告人及び弁護人において異議を述べた形跡が窺われないから、右尋問調書中伝聞供述記載部分をも証拠とすることに同意したものと認めることができるとしているけれども、被告人は第一審公判において密入国の事実を全面的に否認しているのであるから同公判調書の記載内容から考えて、被告人及び弁護人が前記尋問調書の証拠調に異議を述べなかつた一事をもつて直ちに同調書中伝聞証拠の供述記載の証拠能力までも認めるに同意したものと推断することはできない。しかしながら同調書中から右伝聞証拠である供述記載の部分を除いた部分及び第一審判決挙示のその他を綜合すれば同判決の判示事実を認めるに難くないから、第一審判決には本件尋問調書の全般に亘つて罪証に供した違法があるけれども、判決に影響を及ぼすべき法令の違反があつて、原判決を破棄しなければ著しく正義に反するものとは認められない」（最判昭三〇・一・一四判例カード）。

【134】「二つの精神鑑定書の各結論の部分に、いずれも、被告人が犯行当時心神喪失の情況にあつた旨の記載があつても、其部分を採用せず、右鑑定書全体の記載内容とその他の情況証拠とを綜合して、心神耗弱の事実を認定することは、必ずしも経験則に反するとはいえない」（最決昭三三・二・一一刑集一二・二・一六八）。

【135】「刑法第四五条後段の確定裁判のあつたことを認定する証拠書類は、刑訴第三〇五条による取調をすることを要する。」「然るに、原審では右取寄にかかる前科調書が口頭弁論に顕出され証拠調を経た形跡は公判調書上認められない。してみれば原判決が口頭弁論で証拠調を経ない前科調書により被告人に右有罪の確定判決があつた事実を認定した点は違法であるといわねばならない。けれども原判決と同一の各事実を認定しながらその全部を刑法四五条前段の併合罪と考えて宣告した第一審判決の刑に比して原判決の二つの宣告刑の合計は重いとはいえないので右原判決の違法は刑訴四一一条により原判決を破棄しなければ著しく正義に反するとは認められない」（最判昭三六・一一・二八刑集一五・一〇・一七七四）。

(7)　審理不尽　一般に、審理不尽とは、未だ裁判をなすに熟しない場合に、裁判をしたという非難であるとされている（例えば、団藤「職権主義と当事者主義」刑事法講座五巻刑訴（I）九四九頁、青柳「挙証責任」同（II）一一八二頁等参照）。そして、審理不尽については、これを絶対的上訴理由（刑訴三七八4、旧刑訴四一〇19）と解する説と、これを相対的上訴理由（刑訴三七九、旧刑訴四一一）と解する説との対立がある。前説によれば、審理不尽は、判決の理由が人を納得せしめるに不十分な場合ということになるが、後説によれば、それは、裁判所の審理義務違反ということになる。そして、その審理義務の根拠を何処に求めるかという点になると、更に、また、これを刑訴の個別的な各規定（例えば、刑訴規二〇八1、刑訴二九八II・三一二II等）に求める説と、これを一般規範ないし刑訴の根本規定（刑訴一、刑訴規一）に求める説とがある。

思うに、裁判所に裁判をなす職責がある以上、裁判をなすに熟するまで審理を尽す義務のあることは当然であり、このことは、職権主義の立法であると、当事者主義の立法であるとによつて、消長のあるべきものではない。従つて、新刑訴においても、また、審理不尽ということは考えられるのである（団藤・前掲刑事法講座九四九頁参照）。しかし、審理不尽という観念は、元来、職権主義に相親しむものであり（青柳・前掲実務講座二六〇三頁参照）、新刑訴においては、職権主義が、著しく当事者主義の制肘を受ける結果、審理不尽は、これを認むべき範囲が極めて狭くなつているだけのことである。このようなことから、学者の中には、審理不尽は、裁判所が、容易に取り調べることのできる証拠を取り調べなかつたときとか、不当に証拠調べの請求を却下したときに成り立つものであると説明される向きもある（例えば、前掲、青柳・実務講座二六〇三頁）。しかし、私は審理不尽とは、下級審の審理に対する上級審の批判であつて、審理を客観的に、判断するとき、それがその裁判を内在的に検討することすら困難ならしめる程度に終つていると認められる場合をいうものと解している（拙稿「最判昭和三三年二月一三日刑集一二巻二号二一八頁の解説」最高裁判例解説（刑事篇）昭和三三年度14事件五一頁以下、殊に五七頁以下参照。なお、この問題については、真野英一「審理不尽」本叢書刑訴（4）一頁以下を参照）。

審理不尽の問題に関する判例としては、次ぎに掲げるようなものがある。これらによって窺われるとおり、判例は、どちらかと言えば、審理不尽を広く認めているし、これはまた、後に述べる理由不備や事実誤認と相関連するものとして、理解されている。そこには、審理不尽が、独立して、上訴理由となるか否かの問題があることが、考えられているわけである（この点については、特に、鴨「審理不尽と事実誤認」法学教室三号七六頁以下参照）。

【136】「職権をもって調査するに被告人に所論前科のあることは前示前科調書（記録一五四丁）によって推認できるところであり、原審が執行猶予を言い渡したのは、ひつきようこの点に関し審理不尽の違法があるものといわなければならない」（最判昭三〇・一二・一六判例カード）。

【137】「被告人に対する司法警察員の供述調書（自白）の任意性が一審以来争われ、控訴審における事実の取調に際しても弁護人から反証の申請がある場合において、各自白の趣旨が一貫せず且つ一審において右任意性立証のため取調べた当の司法警察員の尋問調書の内容も、ただ抽象的形式的に強制の事実を否定するに過ぎず、しかも犯罪事実の認定自体についても疑問の余地のあるような場合にあっては、控訴審が弁護人の証拠申請をすべて却下し職権による調査も行わないで、ただ右自白調書等が、検挙後短時日間に繰返されていることと右司法警察員の供述記載とだけを綜合して右自白の任意性を認めるに十分であるとするのは、審理不尽の違法あるものというべきである」（最判昭三〇・一二・二六判例カード）。

【138】「わが刑事訴訟法上裁判所は、原則として、職権で証拠調をしなければならない義務又は検察官に対して立証を促がさなければならない義務があるものということはできない。しかし、原判決の説示するがごとく、本件のように被告事件と被告人の共犯者又は必要的共犯の関係に立つ他の共同被告人に対する事件とがしばしば併合又は分離されながら同一裁判所の審理を受けた以上、他の事件につき有罪の判決を言い渡さ

れ、その有罪判決の証拠となった判示多数の供述調書が他の被告事件の証拠として提出されたが、検察官の不注意によって被告事件に対してはこれを証拠として提出することを遺脱したことが明白なような場合には、裁判所は少くとも検察官に対しその提出を促がす義務あるものと解するを相当とする。従つて、被告事件につきかかる立証を促がすことなく、直ちに公訴事実を認めるに足る十分な証拠がないとして無罪を言い渡したときは、審理不尽に基く理由の不備又は事実の誤認があつて、その不備又は誤認が判決に影響を及ぼすことが明らかであるとしなければならない」(最判昭三三・二・一三刑集一二・二・二一八)。

【139】『名誉毀損幇助被告事件において、公訴事実となつている被告人の談話の記事がK新聞の「年少者も酷使？　N営業所人権問題労基署でも調査へ」なる見出のもとに掲載された社会ニュース記事の一部をなし、そのニュース記事の構造上これを綜合的全体的に考察するを相当とする場合に、単に被告人の談話部分のみを名誉毀損罪の成否の対象とするにとどまり、右ニュース記事を取材した記者及びその編集責任者に同罪の正犯としての要件がそなわつているか否かの点についての審理を尽さず、たやすく被告人のした談話をもつて名誉毀損罪の幇助に当るとしたときは、刑訴第四一一条第一号により破棄を免れない』(最判昭三五・二・一六刑集一四・二・二二六)。

(8)　理由不備または齟齬　　理由不備とは、判決の理由が不十分な場合であり、理由齟齬とは、主文と理由、または理由と理由との間にくいちがいのある場合であるが、広く理由不備という場合には、その齟齬も含まれる（なお、この点につき小谷元裁判官が、最判昭和二六年七月六日判例カードの中で、少数意見として、『職権を以て調査するに、本件第一審判決の法令の適用は「刑法第一九九条、第四五条前段、第四七条、第一〇条、第一四条」となつている。従つてこの適用法条からは、その処断刑は二〇年以下の有期懲役刑でなければならない。しかるに主文は「被告人を無期懲役に処する」とあるから主文と理由との間にくいちがいがあるのである。以上のごとく本件第一審判決は理由と主文との間にくいちがいがあり、そのくいちがいは既述のごとく論理的にいえば寧ろ主文に誤りがあるといえるし、現実の問題からしても主文と理由の何れに誤りがあるか不明であるというべきであるから第一審判決の右の違法は判決に影響を及ぼすべき法令違反があるものと断ぜざるを得ない』と述べておられることを、参照）。

この理由不備また齟齬に関する判例としては、次ぎのようなものがある。そして、これが、審理不尽、擬律錯誤または事実誤認と相関連して論ぜられている場合の多いことは、前にも一言したとおりである。

【140】「第一審において被告人を懲役六月に処し、三年間その刑の執行を猶予したのに対し、第二審が禁錮三月の実刑に処し、第一審の刑は重過ぎるから量刑不当があるとしてこれ破棄しているときは、主文と理由にくいちがいがあり、かつ刑訴第四一一条の著しく正義に反する場合に該当する」(最判昭二六・八・一刑集五・九・一七一五)。

【141】「労資間の団体交渉において、使用者が未払賃金を所定期日までに支払わないときは、未払賃金の支払に充当するため製品等の処分を組合に許す趣旨の契約を結んだ後、使用者側において右契約は使用者側の自由意思に基くものでないとしてその効力を争い無効を主張する権利を留保する旨申し入れたからといつて、他に合理的な理由を示すことなく、ただちにこれを取消の意思表示と認定し、組合員が前記契約の趣旨に従い所定期日後に製品等を工場外に搬出した行為を窃盗罪を構成するものとするのは理由不備の違法あるを免れない」(最判昭二八・二・二七刑集七・二・三四八)。

【142】「主文において被告人を罰金二〇〇〇円に処しながら、その理由において被告人を罰金一〇〇〇円に処する旨を判示したときは、主文と理由との間にくいちがいがあり、刑訴第四一一条第一号にあたる」(最判昭二八・七・七刑集七・七・一五三三)。

【143】「農業協同組合の組合長が、組合の定款に違反し組合の総会および理事会の議決を経ずに、独断で組合名義をもつて貨物自動車営業を経営し、これに組合資金を支出した場合においても、右支出が専ら組合自身のためになされたものと認められるときは、不法領得の意思を欠くものとして業務上横領罪を構成しない。」「然るに、原判決は被告人自身の利得を図る目的に出たか否かは同罪の成立に影響を及ぼすものではな

いとして右支出が何人のためになされたものであるかとの点について何ら判断を示すことなく、直ちに業務上横領罪を構成すると判示しているのであつて、結局事実を誤認したかまたは法律の適用を誤つたものといわなければならない、そして、その誤は当然判決に影響を及ぼすべきものであり、且つ原判決を破棄しなければ著しく正義に反するものと認められる」（最判昭二八・一二・二五刑集七・一三・二七二一）。

【144】「甲町収入役が同町工事請負人から同町の土木委員町会議員等の一部に対する慰労金として金員を受け取り補助員に保管させていた場合、被告人が同補助員に対して同町土木委員長乙及び同町町会議長丙等の諒解を得ていないのに拘らず、得ている旨申し欺いて右金員の交付を受けたという事案において、乙、丙の諒解を得なければ右金員を引き出すことが出来ない事実を判示しないで詐欺罪の成立を認めることは理由不備の違法がある」（最判昭二九・八・二四判例カード）。

【145】「被告人が欺罔手段を弄し、選挙管理委員会をして、選挙権者に、特別投票用紙および特別投票者証明書を郵送させたという事案において、右選挙権者がその特別投票用紙等を受け取る権利のある者であるか否か、或いは被告人が右選挙権者にその権利ありと信じていたか否かを審理しないで、たんに手段に欺罔行為があつたという一事（被告人が選挙管理委員会に対し、何等予め当該選挙人の承認を得たものでないことを十分知つていながら、勝手に選挙人の名義を用いて、本人よりの請求の如く装い、特別投票用紙等の請求手続をしたことが認め得られるという一事）をもつて、ただちに被告人の詐欺の犯意を認定し得るとすることは、審理不尽、理由不備の違法があつて刑訴第四一一条第一号にあたる」（最判昭三〇・四・五判例カード）。

【146】『刑法二四六条二項にいう「［人ヲ欺罔シテ］財産上不法ノ利益ヲ得又ハ他人ヲシテ之ヲ得セシメタル」罪が成立するためには、他人を欺罔して錯誤に陥れ、その結果被欺罔者をして何らかの処分行為を為さしめ、それによつて、自己又は第三者が財産上の利益を得たのでなければならない。しかるに、右第一審判決の確定するところは、被告人の欺罔の結果、被害者Kが錯誤に陥り、「安心して帰宅」したというにすぎな

い。同人の側にいかなる処分行為があつたかは、同判決の明確にしないところであるのみならず右被欺罔者の行為により、被告人がどんな財産上の利益を得たかについても同判決の事実摘示において、何ら明らかにされてはいないのである。同判決は、「因て債務の弁済を免れ」と判示するけれども、それが実質的に何を意味しているのか、不分明であるというのほかない。あるいは、同判決は、Kが、前記のように誤信した当然の結果として、その際、履行の督促をしなかつたことを、同人の処分行為とみているのかもしれない。しかし、すでに履行遅滞の状態にある債務者が、欺罔手段によつて、一時債権者の督促を免れたからといつて、ただそれだけのことでは、刑法二四六条二項にいう財産上の利益を得たものということはできない。その際、債権者がもし欺罔されなかつたとすれば、その督促、要求により、債務の全部または一部の履行、あるいは、これに代りまたはこれを担保すべき何らかの具体的措置が、ぜひとも行われざるをえなかつたであろうといえるような、特段の情況が存在したのに、債権者が、債務者によつて欺罔されたため、右のような何らか具体的措置を伴う督促、要求を行うことをしなかつたような場合にはじめて、債務者は一時的にせよ右のような結果を免れたものとして、財産上の利益を得たものということができるのである。ところが、本件の場合に、右のような特別の事情が存在したことは、第一審判決の何ら説示しないところであるし、記録に徴しても、そのような事情の存否につき、必要な審理が尽されているものとは、とうてい認めがたい。ひつきよう、本件第一審判決には、刑法二四六条二項を正解しないための審理不尽、理由不備の違法あるものというべく、同判決およびこれを支持して控訴を棄却した原判決は、刑訴四一一条一号により破棄を免れないものである』（最判昭三〇・四・八刑集九・四・八二七）。

【147】『農業協同組合参事として組合員に対する金員の貸付けにつき包括的権限を有している者が組合員に対して制度上認められている仮払金名義により金員を貸出す行為が業務上横領の罪を構成するとする理由として、仮払金の制度、定款の規定等を審理することなく、単に「農業協同組合法並びに組合の定款の定める

ところに準拠することなく、且つ正規の貸出手続によらないで、その業務上保管に係る組合公金を擅に仮払金名義で支出して……融通したことを認めるに充分であるから……なお組合の公金を不法に領得したものということが出来る」とするのは、審理不尽、理由不備の違法があることを免れない』（最判昭三一・四・一〇判例カード）。

【148】「原判決の挙示する証拠および認定事実からみて、手形金の支払われるまで三日間物品を保管する意思に過ぎず、弁済があれば直ちにこれを返却する意思であつたとも解しえられる場合において、右物品の持ち帰りは会社責任者の意思に反してなされたものであり、被告人にその認識があつたことを判示しただけで、不法領得の意思の存否についてなんら判示しないで直ちに窃盗罪を構成するものとするのは、理由不備の違法あるを免れない」（最判昭三一・三・一九判例カード）。

【149】『被疑者に対する糧食差入禁止の事実を認め、しかもその糧食差入禁止の期間と自白の時日との関係上、外形的には糧食差入禁止と自白との間の因果の関係を推測させ、少なくともその疑ある事案であるにかかわらず、原判決が「単に糧食差入禁止の事実のみを理由として直ちにその間またはその後に作成せられた供述調書の証拠能力、証明力を否定することはできない」と断じ、何等特段の事由を説示することなく「記録に徴しまた当審における事実取調の結果に照しても右調書の証拠能力、証明力を否定するに足るべき状況は発見できない」という理由のみで右自白の任意性、信用性を争う主張を排斥した判断は、審理不尽、理由不備の違法があり、刑訴第四一一条第一号により破棄を免れない』（最判昭三二・五・三一刑集一一・五・一五七九）。

【150】「火のついた煙草光一本を複写用紙の薄紙四、五枚に包み、更にこれを同用紙の厚い紙四、五枚に包んだものを、木造建物の壁板の破れ目に挿入して放火したという事実認定において、発火の可能性を肯定した鑑定書の一つは与えられた条件と湿度において一〇パーセント低く、気温において四・五度高い（従つてそれだけ発火の可能性が強い）条件の下に鑑定結果が出されたものであり、他の一つは、それだけで発火の可能性を肯定するにはあまり消極的なものであるときは、これらを他の証拠として綜合して有罪を認定するの

は、審理不尽、理由不備の違法があり破棄を免れない」（最判昭三一・七・九判例カード）。

【151】「放火被告事件の控訴審において、被告人の自白する放火の手段方法では独立燃焼を合理的に認められないとの主張を排斥するにあたり、一審における受命裁判官の右放火手段方法の検証調書の記載（実験の結果）は独立燃焼の結果を生じなかつたにかかわらず、この点についての鑑定を含む証拠調の請求を却下し、単に、右実験の結果によれば、被告人自白の放火の手段方法によつても独立燃焼を生ずることは合理的に考えてその可能性は十分認められるとし、証拠に基ずいた説明を加えないで、ただちに抽象的に条件の如何によつては独立燃焼の可能性のあることを肯定することは審理不尽に基く理由不備の違法があり破棄を免かれない」（最判昭三三・四・二五刑集一二・六・一二六一）。

【152】「認定事実と証拠との間に理由不備の違法ある第一審判決（強姦の犯意が、挙示の証拠によつては認められない場合）を支持した第二審判決は法令の解釈適用を誤つた違法あるに帰し、刑訴第四一一条第一号により破棄することができる」（最判昭三三・六・二四刑集一二・一〇・二三八六）。

【153】いわゆる納金ストの事件につき『労働争議の手段として集金した電気料金につき一時自己の下に保管し、しかもその保管方法が会社のため安全且つ確実なものであり、そして毫も自らこれを利用又は処分する意思はなく、争議解決まで、専ら会社のため一時保管の意味で、単に形式上自己名義の預金となしたに過ぎないものと認められる場合においては、これを以て直ちに横領罪の成立を認むべきものではないことは前記当小法廷の判例（昭和二六年(あ)第五〇五二号、同二八年一二月二五日判決、集七巻一三号二七二一頁）の趣旨に徴し肯認せられるところである（なお、昭和二九年（あ）第三〇〇五号、同三三年九月一九日当小法廷判決参照）。しかるに、原判決が本件預金が右の趣旨に出でたものであるか否かを審究することなく、その判示するような「事実関係における被告人名義の右預金所為は前記にいわゆる不法領得の意思実現と解されても致し方ない筋合であり」と速断し、被告人に不法領得の意思がないから横領罪は成立しない旨の控

訴趣意をその理由がないとしたのは、法律の解釈を誤った違法があるか、又は理由不備の違法があるから、破棄を免れない』（最判昭三三・九・一九刑集一二・一三・三一二七）。

【154】「一、労働争議に際し、被告人ら労組員が会社幹部に暴行を加え且つ引き続き監禁した事件において、原判決が、争議に相当の理由があり、急速な解決を必要としたこと、会社側幹部が逃避的態度を示したこと、被告人等は組合員の勢に引き摺られたものであること、加えた危害が高度でないことなどの理由だけで、前半の暴行を期待可能性がないものとして無罪とし、後半の不法監禁のみを有罪としたときは、無罪の判断部分について法令の適用を誤つたかまたは理由不備の違法があることになる。二、右のように原判決が、一部無罪、一部有罪とした場合上告審が有罪部分には破棄事由がないが無罪部分について破棄事由があると認めたときは、原判決全部を破棄すべきである」（最判昭三三・一二・四刑集一二・一五・三四三九）（なお、期待可能性なしという理由で刑事責任を否定した判断を不当として、原判決を破棄した判例としては、最判昭和三七年五月一日判時二九六号三頁がある）。

【155】「本件電源ストにおいて被告人らが排水門、制水門を開放して水力発電所の用水を放流した積極的な所為が、電源職場における被告人ら従業員の労務提供義務不履行行為にあたる理由を説示するところなく無罪とした原判決は、理由不備ないし重大な事実誤認の疑がある」（最判昭三三・一二・二五刑集一二・一六・三五五五）。

【156】「原判決が一面ピケッティングは平和的説得ないし団結の示威を建前とすると判示しながら、他面本件電源ストにおいて説得前すでに会社側臨時人夫ら非組合員の現場立入をスクラムによるピケッティングにより阻止しても違法でないと判示したのは、理由にくいちがいがあるかまたは重大な事実誤認の疑がある」（最判昭三三・一二・二五刑集一二・一六・三五五五）。

【157】「職権により調査すると、原審の維持した第一審判決は、訴因通り贓物故買罪に該当する事実を認定するものと解するの外ないにも拘らず、これに対し刑法二五二条二項を適用して居るのであつて、理由にくいちがいがあるものとせざるを得ない。かかる違法は、判決に影響があつて、原判決及び第一審判決を破棄しなければ著しく正義に反するものとせねばならない」（最判昭三五・二・九集不載）。

【158】『本件指揮刀をみるに、それは原判示の如く、旧陸軍の使用した指揮刀であつて、「刀」の形態をそなえ、刃渡にあたる部分は七五センチメートルあり、切先は鋭利で容易に人を殺傷しうる危険性のある物件であるが、「刀」としての実質をそなえているかどうか、即ちそれは如何なる材料をもつて製作されたものであるか、又現在刃はつけられていないとしても、どの程度の加工により刃物となりうるものであるかどうかの点は本件事実審理の結果によつて明らかにされていないのであるから、原審裁判所はすべからくこの点を明らかにした上で、本件指揮刀が銃砲刀剣類等所持取締令一条にいう「刀剣類」にあたるかどうかを判断すべきであつたのに、事ここに出でず単にその形態と切先による殺傷の危険性のみにより漫然これを右「刀剣類」にあたるものと判断し、これを所持した被告人の所為を同令違反の罪に問擬した第一審判決を支持したのは、法令の解釈を誤り、ひいては審理不尽による理由不備の違法を犯したものというべく、原判決は刑訴四一一条一号により破棄を免れない」（最判昭三六・三・七刑集一五・三・四九三）。

但し、次ぎのような判例もあることが、注意される。

【159】「高等裁判所が、刑訴第三八六条第一項により控訴を棄却した決定に対してなされた上告申立を、異議申立と見ながら、同法第四一四条、第三七五条を準用して自ら棄却したとしても、右申立が異議申立期間後になされたものであることが明らかなときは、右の瑕疵は同法第四一一条所定の事由にあたらない」（最決昭二七・一・一一判例カード）。

【160】「原判決が第一審判決の量刑を不当とする控訴を理由ありとして原判決を破棄しながら同判決の刑と同一の刑を言い渡したのは、理由齟齬の違法あるを免れないが、未だ刑訴第四一一条を適用しなければならない場合とは認められない」（最決昭二七・六・二六判例カード）。

【161】「掏り未遂犯において、事実摘示においては、被害者が所持していた現金一八万円および小切手一

枚（額面二〇万円）在中の風呂敷包みを掏り取ろうとしたと判示しながら、引用の証拠によれば、当時被害者が右小切手を所持していなかつたことが明らかな場合でも、右理由のくいちがいは判決に影響を及ぼさない」（最判昭二七・七・一五判例カード）。

【162】「記録を調べると原判決書の記載には所論のような違法（第一審が無罪とした判示第四事実について破棄自判して有罪と認めるに当り証拠説明を遺脱）があることは認めざるを得ないのであるが、ただこれのみをもつては未だ刑訴四一一条を適用すべきものとはいい得ない」（最決昭二八・二・二四判例カード）。

【163】「原判決において被告人とともに共同正犯の一人と認定されている者にかかる恐喝被告事件につき無罪判決が確定したとしても、その一事をもつては、同一事実に関し被告人に対する第一審の有罪判決を維持した原判決につき刑訴第四一一条を適用すべき事由があるとはいえない」（最判昭二八・三・二七刑集七・三・六五三）。

【164】「特別公務員暴行凌虐致死被告事件において、被害者の解剖所見のみを基礎として受傷時と死亡時との時間的間隔を推認し、これにより或る幅をもつた受傷時を推認した上、その推認時間内において被害者と交渉を持つた者のうちから証拠と推理によつて加害者を認定しても差支えなく理由不備の違法があるとはいえない」（最判昭三〇・一二・一六刑集九・一四・二七九七）。

【165】「被告人が火薬類を所持しこれを譲渡しなかつたならば、その直後に災害が発生しなかつたものであると認められる事情の存する場合に、その火薬類により発生した災害の結果を火薬類所持罪の量刑の一事情として参酌しなかつたからといつて、不当ではなく、違法ということはできない」（最決昭三一・一二・一三刑集一〇・一二・一六六七）。

(9)　判断遺脱　ここに判断遺脱とは、刑訴三三五条二項の主張に対する判断を遺脱した場合や、控訴審が控訴趣意に対する判断を遺脱した場合を指し、前に述べた理由不備の場合はこれを含まない。この判断遺脱の意義につき、判例は次ぎのように、述べている。

【166】『判断遺脱が刑訴三七八条四号の理由を附せずに当るかどうか。その「理由」は、有罪判決においては、刑訴三三五条一項が判示することを要求する「罪となるべき事実、証拠の標目及び法令の適用」をさすのであつて、刑訴法三三五条二項により判決に示さなければならない判断を遺脱したことを含むものでないことは、原判決の説示するとおりである。そして右の判断遺脱は、もとより違法ではあるが、刑訴三七七条三七八条に規定するいずれの事由にも当らないのであるから、刑訴三七九条の「訴訟手続に法令の違反」がある場合に該当し、その違反が判決に影響を及ぼすことが明らかである場合に限り、第一審判決破棄の理由となることも原判決の説示するとおりである』（最判昭二八・五・一二刑集七・五・一〇一一）。

【167】「控訴審の破棄自判の判決が、心神喪失もしくは心神耗弱の主張に対し判断を示さなかつた場合は、刑訴第四〇四条、第三三五条第二項に違反するけれども、同第四一一条第一号によりこの法令違反が判決を破棄しなければ著しく正義に反するものと認められる場合に破棄せられるにとどまる」（最判昭三一・一二・二五判例カード）。

判断遺脱で、原判決を破棄した判例としては、次ぎのようなものがある。

【168】「甲弁護人の提出した控訴趣意書と題する書面については、その後適法に撤回されたとか、または原審公判期日において、これを陳述しない旨の明確な意思表示がなされたとかいうような特段の事情は認められないから、該控訴趣意は拒否さるべきではなく、原審において審判の対象とさるべきものであつたことは、当裁判所の判例の趣意とするところである（昭和二四年（れ）第一〇二八号同二九年七月七日大法廷判決集八巻七号一〇五二頁参照）。しかも、記録に差挾まれている前記甲弁護人作成名義の控訴趣意書には乙弁護人の控訴趣意書に包含されていない法令違反および量刑不当の論旨が記載されているから、原判決が前記の如く甲弁護人の提出した控訴趣意書と題する書面を不適法なものとして、これに対して判断を与えなかつたことは、判決に影響を及ぼすべき法令の違反があるものというべく、刑訴四一一条一号によりこれを破棄す

るを相当とする」（最判昭二九・一二・二四刑集八・一三・二二三六）。

しかし、次ぎのような場合には、未だ原判決を破棄する程のことはないというのが、判例である。

【169】「原判決に被告人等の控訴趣意書が添付されていなくても、その趣意書の内容が悉く弁護人の控訴趣意書の内容に包含されており、原判決が右弁護人の趣意書を添付しこれについて判断を示している以上、実質的には被告人等の控訴趣意に対して判断がなされているものと見るを相当とするから、かかる判決は、刑訴第四一一条によりこれを破棄しなければ著しく正義に反するものとは認めることができない」（最判昭二五・七・六刑集四・七・一二〇五。同旨、最判昭二五・一〇・三判例カード、最判昭二五・一〇・二四判例カード、最判昭二六・三・一六集不載、最判昭二六・八・九判例カード、最判昭二七・一・一〇判例カード、最決昭二七・七・一一刑集六・七・九一〇）。

【170】「原審では心神喪失の主張がなされたけれども、所論の心神耗弱の主張はなされていないから、喪失の点について判断を与えた以上、耗弱の点について判示しないからといつて、原判決に判断遺脱の違法ありとはいえない」（最判昭二六・一一・一五判例カード）。

【171】「原判決が量刑の不当を理由として第一審判決を破棄し、刑訴第四〇〇条但書に従い、職権をもつて第一審判決の認定した事実を是認引用して更に判決をしている以上は、被告人の事実誤認の控訴趣意に対して特に判断していなくても、その違法は、刑訴第四一一条に当らない」（最判昭二七・一・一〇判例カード）。

【172】「併合罪として起訴され、第一審判決において有罪とされた犯罪事実のある部分につき、控訴判決において何等の判断をせず、その余の部分についてだけ有罪として刑を言渡した場合には、その有罪事実より除外された部分は、有罪とされなかつたのであるから、被告人にとつて利益であるばかりでなく、この部分は原判決において無罪の判示がなかつたとはいえ、一たん公訴犯罪事実として、第一審の審判をうけ、ついで控訴審の審理を経て有罪事実より除外された以上、この部分について、被告人は再び起訴されることはな

いわけである。従つて、かかる判決は、刑訴第四一一条を適用して破棄すべきものとは認められない」（最判昭二七・三・一八刑集六・三・四九八）。

【173】「多くの控訴論旨の一つについて破毀理由があり自判する場合においては、本件におけるごとく他の論旨について破毀差戻をすべき事由なきこと明らかな場合には、他の論旨の判断を省略したとしても刑訴第四一一条を適用すべきものとは認められない」（最決昭二七・六・一二判例カード）。

【174】「原判決が控訴趣意に対する判断を一部遺脱しても右控訴趣意自体理由がないときは刑訴四一一条第一号に当らない」（最決昭二七・一二・一六判例カード）。

【175】「原判決が所論控訴趣意第四点について判断を遺脱したものであることは所論のとおりである。」しかし、「記録を調査すると右控訴趣意第四点は事実誤認又は理由不備の主張であるが、第一審判決に右第四点において主張するが如き事実又は理由不備の違法は認められないから、所論の如き違法があつても、これを破棄しなければ著しく正義に反するものとは認められない」（最判昭二八・三・二〇判例カード）。

【176】「原判決は控訴趣意にある量刑不当の点について判断を遺脱している違法のあることは所論のとおりである。しかし右違法は本件判決の量刑上に影響を及ぼしていないし、かつ著しく正義に反するものでないことは記録上明らかであるから該違法を捉えて原判決を破棄する理由にはならない」（最決昭二九・四・一三判例カード。同旨、最決昭三一・一一・一三判例カード）。

【177】「弁護人から公判期日延期の申請があつても、その申請の理由につき何等疎明もしない本件においては、原裁判所は、これを許さなければならないものではない。原裁判所は右申請を許さず当初指定した公判期日にその公判を開いたものであつて、その法廷において右申請を許さない旨の決定を宣したからといつてその決定を被告人並びに弁護人に通知する必要はない。又本件は必要弁護事件ではないから、弁護人が出頭しなくても開廷することができるものであり、原審は刑訴三九一条に基き検察官の陳述を聴いて結審し弁護

人提出の控訴趣意書に含まれた事項につき判決したのであるから、控訴趣意書につき審理しないとの主張は理由がない」（最決昭二九・五・二二判例カード）。

【178】「被告人の控訴趣意書中事実誤認を指摘するが如き口吻があつても、控訴の要旨は量刑過重に失するを不服とし刑の執行猶予を願うにあるときは、同被告人の控訴趣意の量刑不当の主張に対する判断がなされているかぎり、右被告人の控訴趣意書に対する判断を遺脱した違法があつても、右違法は判決に影響がなく刑訴第四一一条にあたらない」（最判昭三〇・七・一九刑集九・九・一八八五）。

【179】「第一審判決に証拠として挙げた供述調書の任意性を争う旨の控訴趣意に対して、原判決に判断の遺脱があつても、右供述調書を除くその他の第一審判決に挙げた各証拠によつて判示犯罪事実を肯認するに難くない場合には、右違法は刑訴第四一一条第一号の事由に該当しない」（最判昭三一・三・二七刑集一〇・三・四〇三）。

【180】「控訴審において、職権をもつて、法令違反を理由として、第一審判決を破棄し、改めて有罪判決をした以上、量刑不当の控訴趣意に対し特に判断を与うる必要はない」（最決昭三三・一一・一七刑集一二・一五・三五一三）。

【181】「第一審判決の量刑は軽きにすぎるとして、検察官から控訴の中立がなされた事件において、控訴審が右量刑の点のみについて判断し、第一審判決を破棄して自判する場合には、第一審において弁護人からなされた心神耗弱の主張については判断を加えなくても違法ではない」（最決昭三六・一一・九刑集一五・一〇・一六九六）。

【182】「弁護人の上告趣意第一点につき、記録を調べて見ると、原審弁護人は控訴趣意第一点において、被告人のSに対する所為は心神耗弱に出たものであることを主張したにかかわらず、原判決がこれに対し何等判断を示さなかつたことは違法たるを免れない。しかし、被害者Sに対する供述調書によれば、かかる主張事実を認められないから、右の違法は、原判決を破棄しなければ、著しく正義に反するものとは認められない」（最決昭三六・一一・三〇判例カード）。

⑽　訴訟費用の負担における誤り　訴訟費用についての不服は適法な上告理由とならないし、独

立しては控訴理由にもならないが（刑訴一八五後文参照）、憲法三七条三項の如き規定があるためか、最高裁の判例中には、次ぎのように、訴訟費用の負担に誤りがあるとして、原判決を破棄したもののあることを注意すべきである。

【183】「無罪の言渡をした公訴事実に関する証人尋問について生じた訴訟費用を違法に被告人に負担せしめた場合には、刑訴第四一一条第一号に該当し、原判決を破棄すべきものである」（最判昭三〇・一一・一四刑集九・一一・五二）。

(11)　弁護権の不法制限　ここに弁護権とは、被告人の弁護権と弁護人のそれとの双方を含む。この弁護権の不法な制限があるものとして、最高裁で、原判決を破棄した事例としては次ぎのようなものがある。

【184】「被告人が弁護人を選任しその届出をなしたのに拘わらず、原審がその後指定した公判期日を弁護人に通知せず、従つて、弁護人不出頭のまま審理を終結し、判決宣告期日に有罪判決を言渡したときは弁護権の不法な制限であつて、判決に影響を及ぼすべき法令の違反があり、且つ原判決を破棄しなければ著しく正義に反する」（最判昭二七・一・三一判例カード）。

【185】「旧刑訴法事件の控訴審において必要的弁護事件につき、弁護人の立会なしに審理判決したときは、刑訴第四一一条第一号にあたる」（最判昭二七・三・二八刑集六・三・五五九）。

【186】「控訴審において、被告人の住居が記録上知れているにかかわらず、誤つてこれを知れざるものとして被告人に対し公示送達の方法により公判期日の召喚手続をなし、被告人の不出頭を理由に、旧刑訴第四〇四条を適用して被告人の陳述を聴かないで審判した場合には、その審判手続は違法であつて、その判決は刑訴第四一一条により破棄すべきものである」（最判昭二七・一一・二八刑集六・一〇・一二七四）。

【187】「控訴申立書が被告人の長男名義であつても、被告人の提出したものかどうかを審理せずに、不適法として棄却するのは刑訴四一一条に該当する」（最判昭二七・一二・二五判例カード）。

【188】「強盗殺人の罪により第一審判決が被告人を無期懲役に処したのに対し、検察官および被告人の双方から控訴を申し立て量刑不当を主張した事案において、控訴裁判所が、被告人の控訴趣意書の謄本はこれを検察官に送達しながら、検察官の控訴趣意書の謄本を被告人に送達せず、かつ最初の口頭弁論期日に至るまで被告人において右控訴趣意の内容を知りこれに対して弁論の準備をする適当な機会を与えられなかつたと認められる事情があるにかかわらず、検察官の論旨を理由ありとして、第一審判決を破棄し被告人を死刑に処した場合には、刑訴第四一一条第一号に該当する」（最判昭二八・七・一〇刑集七・七・一五〇五）。

【189】「控訴審が指定した公判期日を被告人および私選弁護人に通知せず同弁護人不出頭のまま審理を終結し、判決宣告期日に有罪判決を言い渡したときは、たとえ国選弁護人を選任して私選弁護人提出の控訴趣意書に基いて弁論したときでも、弁護権の不法制限であり刑訴第四一一条第一号にあたる」（最判昭二八・七・三一刑集七・七・一六五一）。

【190】「判決宣告期日を変更したにも拘らず、その変更前の期日に言い渡した第二審判決は、刑訴第四一一条第一号により破棄を免れない」（最判昭三五・六・一〇刑集一四・七・九七〇）。

但し、次ぎのような判例があることも、注意される。

【191】「新刑訴における控訴審は事後審であるから、第一審判決の事実誤認の主張については、原則として訴訟記録及び第一審裁判所において取り調べた証拠に現われている事実を取り調べるを以て足り（刑訴三八二条参照）刑訴三九三条一項但書の場合の外新らたに事実の取り調べをすることを要するものではない。されば、原審が所論証人尋問申請を全部却下してこれが取調べをしなかつたからといつてA弁護人主張のごとく弁護人の弁護権を不当に弾圧し被告人に防禦の余地を与えなかつた違法があるといえない」（最判昭二六・五・三一判例

カード）。

【192】「いわゆる必要的弁護事件について控訴審が、刑訴第二八九条に違反し、弁護人なくして開廷し審判した手続上の違法があつても、その公判期日に被告人選任の弁護人は適法な期日の呼出を受けたにかかわらず正当の理由なくして出頭しなかつたものであること、同弁護人は、これよりさき適法な控訴趣意書を提出しており、かりに右期日にあらたに弁護人を選任したとしても要するに右趣意書に基いて陳述するに過ぎないのが控訴審の性格上通例であること、右控訴趣意書の内容も被告人の性格、本件犯行の動機被害の僅少なること等を挙げて原判決の量刑の不当を主張するに過ぎないものであること、及び原判決は、右趣意書について精細審査の上判決していることが判明するような事情がある場合には、右の如き原審の手続上の違法は、未だもつて刑訴第四一一条にいわゆる原判決を破棄しなければ著しく正義に反するものとは認められない」（最判昭二六・一二・二八 刑集五・一二・二四二三）。

【193】「原審における第二回以後の公判期日が被告人の弁護人甲に通知せられなかつたことは所論のとおりである。しかしながら右は所論のように違憲の問題として採り上げるべきではないのみならず、同弁護人は第一回公判期日の呼出を受けながら正当な理由もなく右期日たる昭和二六年二月五日原審の公判に出頭せず、被告人は、別に弁護人乙、丙を選任したため、裁判所は第二回以後の期日については被告人及び右両弁護人にのみ通知し、右期日に出頭した被告人等は右弁護人甲に通知のなかつた点について何等の異議を述べることもなく、原審の審理を終結するに至つた経過は、一件記録に徴して明らかである。このような原裁判所の手落ちは旧刑訴の規定に照し、違法たるを免れないけれども、事情右の如き次第である以上、原判決を破棄しなければ著しく正義に反するとは考えられない」（最判昭二七・三・七判例カード）。

【194】「被告人が控訴趣意書最終提出日（昭和二七年一一月一〇日）に国選弁護人の選任の請求をした場合、原審が第一回公判期日当日（昭和二八年二月一七日）に至つてはじめて弁護人を国選したとしてもその

弁護人が異議なく被告人提出の控訴趣意書に基いて弁論した場合には、刑訴第四一一条第一号を適用すべきものとは認められない」（最決昭二九・一一・三〇刑集八・一一・一八九八）。

【195】「必要的弁護事件について第一審が弁護人を附さないで開廷した違法があつても、控訴審において弁護人が量刑に関する点のみにつき控訴趣意書を提出し、公判廷においてこれに基いて弁論をした上情状に関する証拠を提出している場合には、刑訴第四一一条により原判決を破棄することを要しない」（最判昭三〇・六・一六刑集九・七・一一五〇）。

【196】「検察官の控訴趣意書の謄本を、被告人に送達しなかつた違法があつても、弁護人において、その謄本の送達を受け、答弁書を提出し、充分防禦の措置を講じている場合は、刑訴第四一一条第一号に該当しない」（最判昭三〇・七・一二九判例カード）。

(12)　不利益変更　わが刑訴は、「被告人が控訴をし、被告人のため控訴をした事件については、原判決の刑より重い刑を言い渡すことはできない」と規定し、いわゆる不利益変更禁止〈Das Verbot der reformatio in peius〉の原則を採用している（刑訴四〇二。なお、この規定は、刑訴四一四条により、上告にも準用される）。ここに、不利益変更とは、その条文、刑訴四〇二条からも明らかなとおり、刑を重くすることであるが、この不利益変更禁止の原則に違反したものとして、最高裁で、原判決を破棄した事例としては、次ぎの如きものがある。

【197】「第一審判決は、主文において、贈賄をした被告人四名を各罰金刑に、収賄をした被告人三名を各懲役刑に処し、各被告人に対し一年間右刑の執行を猶予する旨を記載し、理由の法律適用の部分には第一（贈賄）、第二（収賄）事実を区別することなく、単に刑法第二五条とのみ記載しあるにすぎないこと並びに公

判調書によれば、第一審においては右判決を宣告したものであることが認められる場合においては、罰金刑に処せられた被告人四名に対しても、各罰金刑について執行猶予の言渡がなされたものと認むべきであるから、原判決が右各罰金刑について執行猶予の言渡をしなかつたことは刑訴第四〇二条の規定に違反し、同法第四一一条第一号により破棄を免れない」（最判昭三一・四・一九刑集一〇・四・五八八）。

【198】「第一、二審判決の刑の軽重を比較するには、これを形式的にのみ判断することなく、綜体的考察の下に実質的具体的になすべきものであること当裁判所大法廷判例（昭和二五年（あ）第二五六七号、同二六年八月一日言渡、集五巻九号一七一五頁参照）の趣旨とするところである。従つて罰金刑の場合においては、その罰金額の多寡の点のみを見て判断すべきではなく、これと共に、その不完納の場合における換刑処分としての労役場留置期間の長短の点をも綜合して判断すべきものであるといわなければならない。今本件についてみるに」、「第一審は被告人を判示第一の事実につき罰金一万二千円に、同第二の事実につき罰金一万五千円に処し、原審は両事実につき各罰金一万円に処したのであるから、罰金額の点においては、原判決は第一審判決の合計二万七千円より七千円減じた二万円となつているが、他方、罰金不完納の場合の換刑処分を、第一審判決は金五百円を一日としたのに対し、原判決は金二百五十円を一日としたため、労役場留置期間の点においては、第一審判決の五十四日に対し、原判決の八十日となり、約一倍半に延長されたこと計算上明らかである。されば両判決の罰金刑を綜体的実質的に考察して比較するときは、原判決の方が重くなつているといわなければならない。この点において原判決は刑訴四〇二条の規定に違反しており、のみならず理由においては、第一審判決は重すぎるから軽くすべきであるといいながら、その結論である主文においては、却つてより重い刑を量定したことになり、理由と主文に食違いが存在する」「原判決は刑訴第四一一条第一号により破棄を免れない」（最判昭三三・九・三〇刑集一二・一三・三一九〇）。

この不利益変更禁止の原則と刑訴四一一条一号との関係については、右のほか、なお次ぎのような判例がある（追つて、実務では、第二審が第一審の刑を変更している場合、それが不利益変更禁止の原則に触れるか否かが問題となることが相当あり、これに関する判例もかなりの数に上つているが、これは刑訴四〇二条そのものの解釈に関するもので、敢えて、刑訴四一一条一号との関係にまでは論及していないものが多いので、ここには、一々これを挙示することはしないで、ただ、注目すべきものの二、三を掲げるに止めたい）。

【199】「論旨は、原判決が不利益変更禁止の規定に反するというのであるが、何が不利益であるかは必ずしも刑法九、一〇条の刑の順序に従うとのみはいえないけれども、これを全体として観察し、懲役刑が減軽されてその刑の執行が猶予された場合には、罰金刑が増額されていても刑訴四〇二条に反しないこと明らかである（昭和二六年(れ)一八二六号同年一一月二七日第三小法廷判決集五巻一三号二四五七頁参照）。所論は違憲の前提を欠く」（最判昭二九・九・二一判例カード）。

【200】「原判決が懲役四月執行猶予三年の第一審判決を懲役三月罰金千円に変更したことが第一審判決の刑を重くしたことになるとしても、本件は検察官のみの控訴にかかる事件であるから、刑訴第四一一条を適用すべきものとは認められない」（最決昭三二・一・二四判例カード）。

【201】「被告人が控訴をした事件について、控訴裁判所が第一審において有罪とした数十個の犯罪事実のうち一部分を無罪としながらなお第一審判決と同一の刑を被告人に科しても刑訴第四〇二条に違反しない」（最決昭三三・七・二五判例カード）。

【202】「被告人が控訴をした事件について、控訴裁判所が、第一審において有罪とした手段結果の関係にある私文書偽造、同行使、公正証書原本不実記載の犯罪事実のうち、公正証書原本不実記載の点を無罪とした場合、第一審の刑より軽い刑を言い渡さなくても、刑訴第四〇二条に違反しない」（最判昭三五・四・一二刑集一四・五・五四八）。

⒀　刑訴四〇〇条但し書きの違反　刑訴四〇〇条但し書きは、現行刑訴において、その解釈と運用上、最も問題の多い個所の一つであるといえる。この規定に関する判例を拾うと、次ぎのようなも

のがある。

（イ）　同規定の趣旨を説いたもの、

【203】『刑訴四〇〇条但書には、それに「及び」の辞句を用いているからといつて、控訴裁判所が訴訟記録及び第一審で取り調べた証拠のみによつてただちに判決することができると認める場合でも、常に新たな証拠を取り調べた上でなければ、いわゆる破棄自判ができない旨を規定しているものと解すべきではない』（最判昭二六・一・一九刑集五・一・四二。同旨、最判昭二九・六・八刑集八・六・八二一、同昭三〇・六・二二刑集九・八・一一八九）。

（ロ）　同規定と憲法三九条後段との関係につき、

【204】「控訴審が事実の取調をすることなく、第一審の訴訟記録を書面審理しただけで、被告事件につき、更に判決をすることは、憲法第三九条後段に違反しない」（最判昭三三・一・二三刑集一二・一・三四）。

（ハ）　同規定による自判と犯罪事実の確定につき、

【205】「控訴審が、第一審判決の量刑不当の主張を理由ありとして、これを破棄自判するにあたつては、第一審判決の確定した事実に対し法令を適用すれば足り、控訴審として、改めて、事実を認定するを要しない」（最判昭二九・四・一三刑集八・四・四六二。同旨、最判昭三〇・一二・一刑集九・一三・二五七七）。

【206】「控訴審が、第一審判決第二および第三(一)(二)の事実認定ならびに法令の適用には誤がないと是認し、ただ同判決判示第一事実は犯罪の証明がないとして、破棄自判する場合において、あらためて、右判決の判示第二および第三(一)(二)と同一事実を認定判示することは違法である」（最決昭三四・二・二六刑集一三・二・二三二）。

（ニ）　同規定により破棄自判する場合の証拠につき、

【207】「控訴審が事実の取調をした以上、第一審の無罪判決を破棄して有罪を認定するにあたり、第一

審において取り調べた証拠のみを挙示することは、何ら違法でない」（最判昭三三・二・二〇刑集一二・二・二六九）。

（ホ）　同規定による破棄自判に際し、事実の取り調べがあつたものと認められる場合に関し、

(a)　量刑事情の取り調べがあつたものとした判例

【208】「他の同種事件の判決謄抄本を公判廷で取り調べたときは、量刑事情についての事実の取調べがあつたということができる」（最判昭三三・一〇・三刑集一二・一四・三二〇五）。

(b)　有罪証拠の取り調べがあつたものとした判例

【209】証人四名を取り調べた場合につき、「第一審裁判所が公訴事実を認むるに足る十分な証明がないとして、被告人に対し無罪の言渡をなし、これに対し検察官から控訴の申立があつた場合において、控訴審がみずから証人四名の取調べをした上、これと訴訟記録並びに第一審裁判所において取調べた証拠とによつて、破棄自判し、被告人に対し有罪の判決をしたときは刑訴第四〇〇条但書の規定に違反するものではない」（最判昭三二・三・一五刑集一一・三・一〇八五）。

【210】被告人を公判廷で公訴事実その他につき質問し、被告人の検察官に対する供述調書の措信すべきや否や等につき取調べをした場合につき、「本件の第一審判決説示のごとく、詐欺の意思を除く事実は、すべて、認められると認定しているような場合には、被告人を公判廷で公訴事実その他につき質問し、原控訴判決が証拠とした被告人の検察官に対する供述調書の措信すべきや否や等につき取調べをなせば、その余の証拠につき直接取調べをしなくとも、犯罪事実の存在を確定せず無罪を言渡した一審判決を破棄し、被告人に有罪の判決を言渡しても刑訴第四〇〇条但書の規定に違反しない」（最判昭三三・五・一刑集一二・七・一二四三）。

【211】犯行現場およびその附近の検証を行い、証人四名の尋問および写真三葉の取り調べをなし、なお、犯行当日現場で撮影したフィルムの映写を実施した場合につき、「原審の検証調書と訴訟記録ならびに第一審

裁判所において取り調べた証拠によつて被告人に対し有罪の判決をしたときは刑訴第四〇〇条但書の規定に違反しない」（最決昭三四・三・一九刑集一三・三・三六一）。

（へ）　同規定の違反ありとして、原判決を破棄した判例、

【212】「第一審判決が犯罪事実を確定することなく、法令の解釈として罪とならないものと判断した事案につき、控訴審が事実の取調べをしないで破棄自判して有罪にすることは違法であつて、このような判決は、刑訴第四一一条第一号により破棄を免れない」（最判昭三一・七・一八刑集一〇・七・一一四七。同旨、最判昭三三・二・一一刑集一二・二・一八七）。

【213】「第一審判決が起訴にかかる公訴事実を認めるに足る証明がないとして、被告人に対し無罪を言い渡した場合に、控訴裁判所が右判決は事実を誤認したものとしてこれを破棄し、自ら何ら事実の取調をすることなく、訴訟記録及び第一審裁判所で取り調べた証拠のみによつて、直ちに被告事件について、犯罪事実の存在を確定し、有罪の判決をすることは、刑訴第四〇〇条但書の許さないところである」（最判昭三一・九・二六刑集一〇・九・一三九一。同旨、最判昭三二・四・一六刑集一一・四・一四九一、最判昭三四・六・一六刑集一三・六・九六九）。

【214】「第一審裁判所が鑑定その他の証拠調をした上、被告人には、是非善悪を弁別し、これに基いて行動する能力があると認めるに足る精神状態の存在は認められないから、被告人は犯行当時心神喪失の状態に在つたとして無罪の判決を言い渡したのに、控訴審が何ら事実の取調をしないで訴訟記録及び第一審裁判所で取り調べた証拠だけによつて、第一審判決を破棄し、自ら被告人は犯行当時心神耗弱の状態に在つたものとして、有罪の判決を言い渡すのは、刑訴第四〇〇条但書の許さないところである」（最判昭三一・一二・一四刑集一〇・一二・一六五五）。

【215】「強姦致傷の公事訴実について、第一審が単なる傷害罪と認定処断したのに対し、控訴審が何ら自ら事実の取調をしないで第一審判決を事実誤認があるとして破棄し、訴訟記録並びに第一審で取り調べた証拠のみによつて、直ちに強姦致傷の事実を認定処断することは、刑訴第四〇〇条但書に違反するものであ

る」（最判昭三二・六・二一刑集一一・六・一七二一）。

【216】『東京都売春等取締条例第四条違反事実につき、甲女等が売春婦であることは、本件に顕われた全証拠によるも、未だこれを認めるに足りないとして、無罪の言渡をした第一審判決を「原判決は……売春婦の意味について誤解したか、或は証拠の取捨選択を誤つたことに基因するか、いずれにするもその事実認定に過誤あるものといわなければならない」と判示しながら、何ら事実の取調をすることなく、訴訟記録および第一審で取り調べた証拠のみにより、右甲女等を右条例第四条の売春婦と解し得るとして、第一審判決がその存在を確定していない右条例違反の公訴事実の存在を確定し、有罪とした原判決は破棄を免かれない』（最判昭三二・一〇・三刑集一一・一〇・二四三六）。

【217】「第一審判決が起訴にかかる第一ないし第三の公訴事実を犯罪の証明がないとして、被告人に対し無罪を言い渡した場合に、控訴裁判所が右判決を破棄し、第一、第二の公訴事実につき、自ら事実の取調を行うことなく、もつぱら第一審裁判所において取り調べた証拠のみによつて犯罪事実の存在を確定し、有罪の判決をすることは、刑訴第四〇〇条但書の許さないところである」（最判昭三二・一二・二七刑集一一・一四・三四四四）。

【218】「第一審判決が無免許輸入未遂幇助の事実について犯罪の証明がないとして無罪を言い渡した場合に、控訴裁判所がその点について何ら事実の取調をすることなく、右判決を破棄し、訴訟記録及び第一審裁判所において取調た証拠のみによつて直ちに右無免許輸入未遂幇助の事実について有罪の判決をすることは、たとえ第一審判決中に、被告人の同一船舶による往路の無免許輸出幇助の所為並びに共同被告人による復路の右無免許輸入未遂の所為が認定されていたところで、刑訴第四〇〇条但書の許さないところである」（最判昭三三・三・一八刑集一二・四・六〇三）。

（ト）同規定に違反しないとした判例、

(a)　右(ヘ)に掲げた諸判例の趣旨を裏返えすと、第一審判決が被告人の犯罪事実の存在を確定しながら、右事実は法律上罪とならないとして無罪の判決を言い渡した場合において、控訴裁判所が、右の事実は、法律上犯罪を構成するとの判断に到達したときは、それは新らたに事実を認定するのではなく、既に第一審判決の確定した事実に基づき、その法令の解釈適用を訂正するにほかならないから、控訴審は、自ら何ら事実の取調べをすることなく、書面審理のみによつて、第一審判決を破棄自判して、有罪の判決を言い渡すことができるものと解釈する余地があるわけであり(岩田「前出判例【212】中、最判昭和三一年七月一八日の解説」最高裁判例解説刑事篇昭三一年度七二事件二五九頁、栗田「後出判例【220】の解説」最高裁判例解説刑事篇昭三五年度九三事件殊に四〇四頁参照)、そして、次ぎの判例は、現に、この間の消息を伝え、またはその趣旨を明らかにしたものであるといえる。

【219】　いわゆるチャタレー事件につき、『本件第一審判決がその判示のような理由で被告人を無罪とした場合において、控訴裁判所が「右判決は法令の解釈を誤りひいては事実を誤認したものとして」これを破棄し、自ら何ら事実の取調をすることなく、訴訟記録及び第一審裁判所で取り調べた証拠のみによつて、直ちに被告事件について、犯罪事実を認定し、有罪の判決をしたからといつて、必ずしも刑訴第四〇〇条但書の許さないところではない』(最判昭三二・三・一三刑集一一・三・九九七)。

【220】　『第一審判決が、被告人は威力を用いて日本国有鉄道(略称国鉄)の貨車運行業務を妨害した旨の事実を認めながら、刑法第二三四条の業務には、国鉄の貨車運行業務の如き公務を含まないものと解して、無罪を言い渡した場合において、控訴裁判所が同条の業務中には公務も含まれるものと解し、「第一審判決は法律の解釈適用を誤つた」ものとして、これを破棄し、自らは何等事実の取調をすることなく、ただ訴

訟記録および第一審において取り調べた証拠のみによつて、直ちに有罪の言渡しをしても、刑訴第四〇〇条但書に違反しない』（最判昭三五・一二・一八刑集一四・一三・一七一三）。

(b)　判例は、第一審判決の無期懲役を、控訴裁判所が死刑に変更する場合に関しては、

【221】　いわゆる三鷹事件につき、「控訴審において、記録調査及び事実取調の結果、第一審判決を破棄すべき理由ありと認め、かつそれ以上審理をなすまでもなく、判決をなすに熟していると認められ、しかも客観的に見て、自判の結果が、差戻又は移送後の第一審判決よりも、被告人にとつて不利益でないということが、確信されるならば、自判により、第一審判決の無期懲役の宣告刑を変更して、死刑を言い渡すことも、必ずしも違法ということはできない」（最判昭三〇・六・二二刑集九・八・一一八九）。

という趣旨の判示をして、固より、極めて慎重な態度を採つているけれども、その他の場合に関しては、控訴審が何ら事実の取り調べをしないで、第一審判決より刑を重くしても、敢えて、刑訴四〇〇条但し書きに違反するものではないという見解を採つている。例えば、

【222】　「第一審判決が懲役刑の執行猶予を言い渡した場合に、控訴裁判所が何ら事実の取調をしないで、第一審判決を量刑不当として破棄し、みずから訴訟記録および第一審で取り調べた証拠のみによつて、懲役刑（実刑）の言渡をしても刑訴第四〇〇条但書に違反しない」（最判昭三一・七・一八刑集一〇・七・一一七三、最決昭三二・四・一七刑集一一・四・一三八五）。

【223】　「第一審が懲役一五年を言い渡した場合に、控訴裁判所が何等事実の取調をしないで第一審判決の量刑を不当として破棄し、みずから訴訟記録および第一審で取り調べた証拠のみによつて無期懲役刑の言渡をしても刑訴第四〇〇条但書に違反しない」（最決昭三二・二・一五刑集一一・二・七五六）。

【224】　「控訴裁判所が何ら事実の取調をしないで第一審判決より重い刑を科しても（本件は第一審が公職

選挙法第二五二条第三項を適用したのを第二審でみずから何ら事実の取調をすることなく同規定を適用しないことにした場合である)、刑訴第四〇〇条但書に違反しない」(最決昭三五・三・一七 刑集一四・七・八四七)。

但し、右に述べたようなことは、もちろん、多数意見を基にしての説明であつて、刑訴四〇〇条但し書きに関する最高裁の判決・決定中には、殆んどと言つてよい位、右に述べたような多数意見のほかに、補足意見や少数(反対)意見がついていることを、見逃してはならない。事は、現行刑訴の根本主義、現行刑訴における控訴審の構造、被告人の権利の擁護につながる問題であり、刑訴四一三条但し書きとも対照して、同四〇〇条但し書きの規定に沈潜して考えられるべきことに属するのである。

(14) 裁判所が判決宣告期日を遵守しなかつた場合につき、

【225】 前出【190】と同一判例「判決宣告期日を変更したにも拘らず、その変更前の期日に言い渡した第二審判決は、刑訴第四一一条第一号により破棄を免れない」(最判昭三五・六・一〇 刑集一四・七・九七〇)。

(15) 被告人の召喚並びに被告人および弁護人等に対する期日の通知が適法になされなかつた場合につき、

【226】「職権をもつて調査すると本件についての上訴権回復の申立事件に対する東京高等裁判所の決定並びに同事件および本件の一件記録によれば、被告人は、昭和二三年七月二〇日静岡地方裁判所において保釈決定を受けた際、その住居を静岡市籠上新田一二五に制限されたが、被告人並びにその代人の責に帰すべからざる事由によつて、被告人はその制限住居を知らず且つ被告人は該制限住居に居住したこともなかつたこ

とを認めることができる。然るに、本件記録によれば、原審は、右の制限住居に宛てて本件公判期日の召喚状を発送し、その不送達となるや、公判期日の召喚状及びその後の書類の送達はすべて公示送達によつてなし、そのため同第四回公判において被告人不出頭のまま旧刑訴四〇四条、刑訴法施行法二条の規定により被告人の陳述を聴かず審理した上判決をしたものであることを認めることができる。されば、原判決の審判には事実の確定に影響を及ぼすべき法令の違反があつて、刑訴施行法三条の二、刑訴四一一条一号により原判決を破棄しなければ著しく正義に反するものといわなければならない」(最判昭三三・三・二七判例カード)。

但し、次ぎのような判例があることを注意すべきである。

【227】「判決言渡期日に被告人、弁護人を召喚しなかつた違法があつても、被告人が自白しておつて、弁護人も犯情について弁論したに止まり、被告人も別に陳述することがないとして弁論が終結された場合には、その違法は判決に影響があるとはいえない」(最判昭二七・三・一三判例カード)。

【228】「最終口頭弁論期日の変更決定の告知が期日後に被告人に送達され、従つて同期日の召喚が不適法であつても、被告人が公判準備期日において、控訴理由を詳細に供述し、犯罪事実については争わず、単に量刑の軽減を求める趣旨を述べており、また、被告人の弁護人は、右公判準備期日に立ち会い、被告人のため証人の尋問を申請したばかりでなく、その証人の尋問に立ち会い尋問をし、なお、最終口頭弁論期日に出頭して被告人の権利保護のため有利な弁論をしている場合には、同期日に被告人が出頭していなくても、刑訴第四一一条にあたらない」(最判昭二七・四・一〇刑集六・四・六四八)。

【229】「控訴審において第一回公判期日の通知が被告人の私選弁護人に対してなされていなくても、被告人が控訴審で初め弁護人を私選しない旨回答しながら、被告人のために弁護人が国選せられ、被告人および国

選弁護人の双方から控訴趣意書の提出があり、国選弁護人に右公判期日の通知がなされた後(但し、被告人に対してはまだ同公判期日の召喚状が送達されない以前)になつて、あらたに弁護人を私選したものであり、同公判期日には、さきに私選弁護人の選任によつて一たん解任された国選弁護人が再任せられたが、同期日に出頭した被告人はこれに対し何ら異議の申立もせず、また同弁護人は同公判で被告人および国選弁護人の控訴趣意書に基いて弁論しており、さらに判決言渡期日たる第二回公判期日は右私選弁護人にも適法に通知せられているのに、同弁護人よりは弁論再開の申請等の申立もなく、原判決が同弁護人出頭の上同公判で言い渡されている場合には、前記のような刑訴第二七三条第三項の違背は、未だもつて原判決破棄の理由とするにたらないものというべきである」(最判昭二七・一〇・七刑集六・九・一一〇九)。

【230】「判決宣告期日が如何にして指定されたか、またその期日の通知が弁護人及び被告人等になされたものであるか否かを記録上窺い知る由もないときは、原審の訴訟手続が適法になされたものといい得ないが、前示裁判宣告期日には弁護人三名が出廷していること明らかでその公判手続の公正に行われたことは認め得るのであるから、右手続上の瑕疵は原判決に影響がない」(最決昭二七・一一・一三判例カード)。

【231】「証人尋問期日通知書の送達が不適法であつたため弁護人が出頭できなかつた違法があつたとしても、原審第二回公判期日に所論の各証人尋問調書は朗読されており、これに対し弁護人から何らの請求も異議の申立もなされておらず、却つて弁護人において尋問調書を弁論に援用しているのであるから、右違法は判決に影響を及ぼすものとは認められないのであつて、所論は理由がない」(最判昭二八・一一・一九判例カード)。

【232】「被告人に対し控訴趣意書提出最終日の通知がなされなくても、弁護人に右通知がなされ、弁護人が期間内に控訴趣意書を提出し、公判期日においてこれに基いて弁論し、被告人に対する右通知の違法について何ら異議を述べなかつた場合には、刑訴第四一一条を適用すべき場合にあたらない」(最決昭二八・一二・一九刑集七・一二・二五八八)。

【233】「原審における附郵便送達が事実上到達しなかつたとしても右不送達の原因は、被告人の住居の申出の不完全なことに基因するものと認められるばかりでなく、被告人は、同年三月六日午前九時の判決言渡期日を同年二月二三日適式に通知され且つ右言渡期日に被告人自身が原審公判廷に出頭したにかかわらず、前記再度の公判期日の通知が不送達であつたことを申し出ることなく且つ弁論再開等の申立をもしなかつたことも記録上明白である。されば、当裁判所は、結局刑訴第四一一条を適用して原判決を破棄しなければ著しく正義に反するものとは認めることができない」（最判昭二九・二・四判例カード）。

【234】「控訴審において、一人の弁護人に公判期日の通知をしなかつた違法があつても、適法な通知を受けた他の弁護人において公判期日に出頭し、同弁護人において、主任弁護人の指定を受け、不出頭の弁護人の控訴趣意書についても弁論し、その後何らの異議なく審判がなされたときは、右手続の瑕疵は判決破棄の理由とならない」（最判昭三二・四・一六刑集一一・四・一三七二）。

【235】「刑訴規則第一七九条第一項に違反して、被告人に対する第一回の公判期日の召喚状の送達が起訴状の謄本を送達する前になされた違法があつても、起訴状の謄本の送達と第一回の公判期日との間に二〇日の期間が存し、しかも右第一回の公判期日において裁判官が訴訟当事者に弁論を命ずることなく被告人に対し十分訴訟準備をするように告げた上公判期日の変更決定をなし、更に一六日先きに次回の公判期日を指定し告知したような場合においては、右の違法は未だ判決に影響を及ぼすべきものとはいえない」（最決昭三三・九・一二刑集一二・一三・三〇〇七）。

(16) 破棄自判に当り、少年法の解釈適用を誤つた違法があるとして、原判決を破棄したもの、

【236】『被告人は、昭和六年一一月二二日生であつて、本件第一審判決当時には、少年法六八条一項により「成人」であつたのであるが、本件が原審に繋属中、同条第一項所定の期間が経過した結果、原判決当時においては、同法二条所定の「少年」となつたことは記録上明白である。原審は、被告人に対する第一審判決

の科刑は重きに失するものとして、量刑不当の控訴趣意を容れて、第一審判決を破棄した上、刑訴四〇〇条但書に従つていわゆる自判をしたものであるが、新刑訴法における控訴審であつても、第一審判決を破棄して自判する場合には、その自判する時期を基準として、被告人に少年法を適用すべきや否やを決すべきものと解するを相当とするのであるから原審が右自判に当つて、第一審判決時を基準として、被告人には少年法を適用すべきものでないとして、被告人に対して定期刑を科したのは、法律の解釈を誤つたものといわなければならない。従つて論旨は理由があり、原判決は破棄を免れない」（最判昭二六・八・一七刑集五・九・一七九九）。

⒄　その他　右のほか、訴訟法違反に関する最高裁の判例として、注目すべきものを挙げると、次ぎのとおりである。いずれも、刑訴四一一条一号所定の事由にあたらないとしたものである。

（イ）　捜査に関し、

【237】「収税官吏が令状を被告人に示さなかつたことは論旨主張のとおりであるが、右は収税官吏が臨時捜索をなさんとしたとき被告人が不在であつたので警察吏員立会のもとにこれを開始したが、その執行の途中で被告人が帰宅するや、これを見た被告人は痛く憤慨して収税官吏に暴行を加えたので令状を被告人に示すことができなかつたためであるときは、令状を示さなかつた違法があるとはいえない」（最決昭二八・六・一二判例カード）。

【238】「司法警察員の職務を行う麻薬取締官が麻薬不法譲渡罪の被疑者を緊急逮捕すべくその自宅に赴いたところ、被疑者が他出中であつたが、帰宅次第逮捕する態勢をもつて同人宅の捜索を開始し、麻薬を押収し、捜索の殆んど終る頃帰宅した同人を適法に緊急逮捕した本件の場合の如く、捜索差押が緊急逮捕に先行したとはいえ、時間的にはこれに接着し、場所的にも逮捕の現場でなされたものであるときは、その捜索差押を違憲違法とすべき理由はない」（最判昭三六・六・七刑集一五・六・九一五）。

（ロ）　起訴状謄本の送達に関し、

【239】「被告人が昭和二四年一一月二日付起訴状謄本を警察署留置場において同月八日現実に受領しながら、被告人若しくは弁護人が同年一二月一日の第一回公判期日に出頭し、検事の起訴状朗読後裁判長から被告事件について陳述することがあるかどうかを尋ねられた際にも、その後一審判決の言渡を受けるまでの間にも、起訴状の謄本の送達がなかつたことについて異議を述べていないときは、たとえ起訴状の謄本の送達が違法であつても、これをもつて原判決を破棄しなければ著しく正義に反するとは認められない」（最決昭二六・四・一二刑集五・五・八九三）。

【240】「警視庁刑事部押送係において受領した起訴状謄本の伝達を受けた同庁管下警察署看守係巡査が、刑訴第二七一条第一項所定の期間内に、同署に在監する被告人に対し、弁護人の選任通知書とともに、右起訴状謄本を示し、かつ、読み聞かせた上、被告人承諾の下に改めてこれを保管した場合には、被告人に対する起訴状謄本の交付があつたものと認められるだけでなく、弁論の経過をみても被告人の防禦権が害されたと認めるべき何らの事跡のないときは、原判決を破棄しなければ著しく正義に反するとは認められない」（最決昭二七・五・三一刑集六・五・七八八）。

【241】「かりに、起訴状謄本の送達が適式でなかつたとしても、本件においては、被告人が異議を述べていないのであつてかかる場合には刑訴四一一条の問題とならない」（最判昭二七・七・一五判例カード）。

【242】「起訴状および訴因追加請求書の各謄本が被告人に送達されていなくても、起訴の日に被告人が自ら弁護人を選任し、弁護人は裁判所書記官に請求して起訴状および訴因追加請求書各謄本の送達を受け、第一審第一回公判も起訴の日から二箇月以内に開かれており、また起訴状謄本が弁護人に送達されてから同公判までに一箇月以上、訴因追加請求書が同人に送達されてからでも同じく一箇月近くの余裕があつて、弁論準備のために十分の期間があつたものということができ、かつ右公判で被告人側から何等の異議も申し立てていない場合には、前記のような刑訴第二七一条第一項、第三一二条第三項、刑訴規則第二〇九条第三項の不

遵守は、未だ刑訴第四一一条を適用すべき事由とするにたらない」(最決昭二七・七・一八 刑集六・七・九一三)。

（ハ）　公判期日における検察官の出席に関し、

【243】「特別公務員暴行陵虐被告事件の第一審における判決言渡のために開かれた公判期日に、検察官の職務を行う弁護士が出席せず、検察官が出席しても刑訴第四一一条第一号を適用すべき場合にあたらない」(最判昭三二・二・一〇 刑集一〇・二・一五九)。

（ニ）　公判調書の記載に関し、

【244】「公判調書に、被告人が公判廷において身体の拘束を受けなかつた旨の記載がなくても、その公判期日当時被告人が保釈中であつた場合には、公判調書に何らの記載がなければ、被告人は身体の拘束を受けなかつたことが推定されるから（昭和二三年（れ）第一三号事件同年三月三〇日言渡第三小法廷判決参照）、右のような記載がないからといつて、原判決破棄の理由とはならない」(最判昭二五・二・一・ 七判例カード)。

【245】『公判調書に「公判を公開したこと又は公開を禁じたこと及びその理由」の記載を遺脱しても刑訴第四一一条に該当しない』(最判昭二五・七・一三 刑集四・八・一三四三)。

【246】「第一審第三回公判調書の記載によれば、第一審判決の宣告期日は、昭和二四年八月三日と指定されており、同第四回公判調書によれば、右八月三日に同判決の宣告が為された旨記載されているが、M、T両弁護人の上告趣旨第一点、三、挙示の各書面中の年月日の記載によれば、右各公判調書の八月三日の記載は、九月五日の誤記であつて、本件第一審判決宣告の日は、昭和二四年九月五日であると認定するを相当とする。従つてこの点に関する原判決の判断は、失当たるを免れないものといわなければならない。尤も、右は、前記第一審公判調書の年月日の記載が誤記たるに止り(M弁護人等の上告趣意第一点、二、掲記の大正一三年二月九日の大審院判例参照)、有効な第一審判決の宣告があり、従つて、適法な控訴の申立があつたのであるか

ら、その欠点は、結局において第一審判決及び原判決に影響を及ぼすものとは思われない」(最判昭二九・一・一四判例カード)。

(ホ)　判決書に関し、

【247】「新刑事訴訟法においては、判決書に契印がないということだけでは、判決を破棄すべき法令違反にならない」(最判昭二五・六・一五刑集四・六・一〇〇三。同旨、最決昭二九・一〇・二六判例カード)。

【248】「原判決書に裁判長の押印のみを欠く違法があつても、刑訴第四一一条第一号を適用すべきものとは認められない」(最決昭三六・一一・三〇刑集一五・一〇・一七九九)。

(ヘ)　証拠によらない事実の認定に関し、

【249】『第一審判決のした密輸入物資の原価の認定が証拠に基かない違法があるとしても、その認定価格は右判決に証拠として引用している大蔵事務官作成の犯則物件鑑定書の価格より遙かに下廻つており、被告人にとつては有利な認定があること原判決の説示するとおりであるから、その瑕疵は刑訴四一一条にいわゆる「判決を破棄しなければ著しく正義に反する」場合に該当しない』(最決昭二八・七・二一判例カード)。

二　量刑の著しき不当

刑訴四一一条二号は、旧刑訴四一二条や刑訴応急措置法一三条二項と異り、「刑の量定が著しく不当で」あつて、「原判決を破棄しなければ著しく正義に反すると認め」られることを、上告審における職権破棄理由としている。

これは、控訴理由に関する刑訴三八一条の規定と照応するものである。わが刑法が、犯人の性格ないし人格に注目し、教育刑という理念をも取り入れて、量刑を、大幅に、裁判官の裁量に委ねるという主義に立つている以上、法定刑ないし処断刑の範囲内における量刑は、たとえその当否は問題となり得ても、法律的な適否の問題は生じない。量刑不当が、法令違反と相並んで、上訴理由として、問題とせられる理由は、ここにある。しかし、若し事後審の覆審或るいは続審と異るところは、自らその点の判断をして（たまたま、そのような判断が得られることがあるとしても）原審の判断とこれを比較するということにあるのではなく、ただ原審の判断の当否を審査するということにある（平野「刑訴」法律学講座一五七頁以下、平場・講義五四〇頁以下、青柳・通論五三五頁、同・前掲実務講座二六〇六頁等参照）とすれば、量刑不当の判断は、事後審というよりは、寧しろ、続審的な性格が強いといえる。このことは、刑訴三九三条二項と三九七条二項が改正せられ、原判決後の量刑に関する情状の取調べとそれに基づく原判決の破棄が認められるに至つたことからも窺われる。

以上のようなことから、上告審においても、その量刑判断は、純粋の事後審というよりは、寧しろ、続審的なものということができる。但し、上告審については、刑訴三九三条二項・三九七条二項の準用はなく、控訴判決後に生じた事情の如きは、これを、斟酌することはできないものといわなければならないであろう（但し、最近、後出の判例【257】のような判決が現われたことは、注目に値する）。また、本号にいう量刑不当は単に不当というだけでは足らず、それは甚だしい不当でなければならない。量刑不当の論旨は、極めて多いにもかかわらず、最高裁で、刑訴四一一条二号により、原判決を破棄した事例が、非常に少い理由は、このことを物語つている（なお、この問題については、高田義文「量刑の不当」法律時報三〇巻八号九一一頁以下を参照）。

本号に関する判例としては、次ぎのようなものがある。

（一）本号にいう刑の量定の意味を明らかにしたもの、

【250】『刑訴三八一条、四一一条二号の規定にいわゆる「刑の量定」とは、広義であつて、刑法にいわゆ

る「刑」の量定のほか、罰金の換刑処分、未決勾留日数の算入、刑の執行猶予等の附随処分をも含む概念であるから、選挙権、被選挙権に関する公職選挙法二五二条三項所定の裁判所の裁量に関する上訴理由は、前記刑訴の規定にいわゆる「刑の量定」の非難に該当するものと解すべきことは、大審院及び当裁判所における従来の判例の示すところである』（大審院判例集七巻一四六頁以下、最高裁判例集八巻六号七九四頁以下第二小法廷決定参照）（最判昭三一・九・二七判例カード）。

（二）　本号により原判決を破棄したもの、

【251】　道路交通取締法違反被告事件につき、『前科なく、若年で、勤務に忠実な進駐軍通訳の被告人が惘諒すべき動機のもとに、「法令に定められた自動車運転者の資格を有せずして昭和二五年五月二三日午前五時四〇分頃長野県北佐久郡軽井沢町三笠ホテル前より同町旧道町道三笠線一本松地籍まで占領軍第一騎兵師団憲兵隊所属の自動車ジープを運転したものである」との事実につき、法定刑の最高限たる懲役三月の実刑に処したとき、右は刑訴第四一一条第二号に該当する』（最判昭二七・一二・二刑集六・一二・一二八一）。

【252】　強盗殺人被告事件につき、「本件の如く競輪に熱中し生活費に困窮するに至つた挙句、白昼年令五三才の婦女を所携の菜切庖丁で斬りつけて即死せしめた上、現金一二一円五〇銭在中のナイロン製財布一個を強奪したという強盗殺人犯の動機に諒察すべき点がなく、かつ殺害の方法が残酷な場合でも、被告人は犯行数日前より神経衰弱気味に陥り、兇行当日は多少、通常の平静心を失つていたと認められ、殊に殺害そのものは計画的のものではなく、被告人の制止に拘らず、被害者が大声で救いを求めたため、周章狼狽し、その叫び声を止め、発見逮捕を免れようとして発作的にしたものと認められ、その他被告人に前科なく競輪の点を除けば平静の勤務振りも精励であり、犯行後の改悛の状況、家庭の情態等酌む情状があるときは、これに対し死刑を科することは刑訴第四一一条第二号に該当する」（最判昭二八・六・四刑集七・六・一二五一）。

【253】　金融緊急措置令違反、背任被告事件につき、「控訴判決後に、連続犯の一部が大赦令により赦免され

たため、原判決の刑の量定が甚しく不当となり、これを破棄しなければ著しく正義に反する場合には、原判決を破棄すべきである（少数意見がある）」（最判昭二八・六・二四刑集七・六・一三七一）。

【254】公職選挙法違反被告事件につき、「被告人甲は本件二回の合計五〇万円を乙に対し専ら自己のためのみの投票取り纏めの選挙運動費用、買収費及び報酬等として供与したものではなく、岩手県開拓者連盟（原審が証拠として採用した甲の昭和二七年一〇月二二日の検察官に対する供述調書によれば、同連盟は団体等規正令に基く政治団体であり、本件昭和二七年一〇月の衆議院議員総選挙には岩手県第一区において甲を、同第二区においては某を候補者として推薦することを決議していたものであることが認められる）の運動費用に主として充てるため支出したものであること、右五〇万円の処分は乙に一任され、同人の一存で原判示のごとく供与し、現にその一部は開拓者関係の家計等に使用されたこと、甲の認識が原判示のごとき程度のいわゆる未必的犯意に属するものであつたこと、その他甲の経歴等一切の情状を綜合すると、原判決の量刑は不当であつて、刑訴第四一一条二号を適用して原判決を破棄するを相当とする」（最判昭三〇・五・一二集不載）。

【255】公職選挙法違反被告事件につき、「原判決の是認した第一審判決の被告人○○の所為に対する法律適用において、買収の点につき公職選挙法第二二一条第一項第一号の規定のほか同法第二二九条を適用した点並びに本件一箇の行為にして数箇の罪名に触れる場合の法定刑の比較をするに際し、まず各条の所定刑の選択をした点等その法律適用の措置失当であるばかりでなく、同被告人に対する本件犯罪の日時、金額、犯罪の態様、被告人の経歴その他記録に現われた一切の情状を綜合すると、同被告人に対する刑は甚だしく不当であつて、刑訴第四一一条を適用して同判決を破棄するを相当とする」（最判昭三〇・五・一九判例カード）。

【256】職業安定法違反、労働基準法違反被告事件につき、「本件犯罪の動機が主として雇主から依頼したものであること、その紹介した職業は、熊本県下の片田舎における瓦若しくは蒲鉾製造の職人又は農家の奉公人であること、被告人の犯罪経歴が道路交通取締法違反並びに失火罪によつて罰金に処せられたに過ぎ

ないこと、その他被告人の資産、家族数等諸般の情状に照らし……懲役六月の実刑は、その刑の量定が甚しく不当であつて、第一、二審判決を破棄しなければ著しく正義に反するものと認める」（最判昭三三・六・一九集不載）。

【257】　いわゆる昭電事件において、『職権により被告人Hに対する刑の量定につき調査するに、同被告人に対する情状として原判決の判示するところによれば、同被告人の本件利益贈与ないし利益提供の動機としては、相手方の職務行為に対する依頼又は謝礼の趣旨のほかに多かれ少かれ、それ以外の個人的な交友関係、政治献金、職務に関係のない個人的な将来の庇護期待等の趣旨も認められ、必ずしも職務要因のみに基く利益贈与ないし利益提供を行つたというような状況であつたとは認められない、また拘置所関係の贈賄は、被告人の境遇の激変とそれに基く心身の疲労、衰弱の結果に出た行為であるとして憫諒すべき情状も認められるというのである。更に原判決は、被告人Hが、化学工業ことに化学肥料工業に関し相当の識見を有することと並びに同人の日水及び昭電、とりわけ昭電の経営（建設、融資をも含む）に関し示した努力及び業績がいずれも高い評価に値するものであり、同被告人の日水ないし昭電の経営についての努力は、すなわち化学肥料の増産を意味し、そしてこれは、食糧増産に直結することであつたから、この見地からすれば、食糧事情が急迫していた当時の状況下においては、Hの右各贈賄は、犯情としてHに有利なものを含んでいたといえるとも認定しているのである。そして、同被告人は、昭和二三年六月二三日逮捕拘禁され、同年一二月三〇日保釈されるまで六ケ月余拘禁され、次いで昭和二四年五月七日第一審公判が開始され、爾来一三二回の公判と全国各地に亘る検証を経て、昭和二七年一〇月二七日、同二八日第一審判決があり、第二審においては、昭和二九年一月一九日以降一三九回の公判と全国各地に亘る検証を経て、昭和三三年一一月一七日第二審判決があり、今日に至つたものであるが、その間約一四年の長期に亘り同被告人は、心身に有形無形の多大の苦痛を受けたものというべく、また一審判決によれば、「Hの公判審理に臨む態度は概ね真摯公明であつて、時に相被告人の非難攻撃に対しても動ずることなく、真実の許す限りその責を一身に担う心境にあつて、将

来再び過誤を犯さざらんことを堅く誓つているものと認められる」というのであつて、同被告人が反省、謹慎の日を送りつつあることは、右判示の趣旨からも窺知しうるところである。本件は、被告人Hの昭電経営に関する贈賄容疑に端を発し、官界、政界、財界の有力者多数が同人からの収賄容疑者として登場し、遂にA内閣の総辞職を見るに至つたもので、これに関連して起訴された被告人の数は三〇数名に上り、当時いわゆる昭電事件として世人の耳目を聳動せしめた大事件ではあるけれども、その後の推移を見るに、いわゆる昭電事件H関係の事件においては、収賄罪で起訴されたNおよびFは、いずれも無罪とされ、また一審若しくは二審で有罪とされたS、Y、M（本件相被告人）、N、T、I、Kらは、悉く執行猶予となり、M以外の他の全員の判決は、すでに確定しているのである。叙上の諸事情を考慮するときは、被告人Hに対し実刑を科さなければ刑政の目的を達することができないものとは断じ難く、刑の執行を猶予するのが相当であつて、原審の量刑は重きに過ぎ、これを破棄しなければ著しく正義に反するものと認められる』（最判昭三七・四・一三集未載）。

（三）　本号により原判決を破棄すべきものとは認められないとしたものは、非常に多いが、その中で注意すべきものとして、次ぎのようなものがある。

【258】「他人に対し権利を実行することは、その権利の範囲内であつて、且つその方法が社会通念上一般に、忍容すべきものと認められる程度を超えないかぎり、なんら違法の問題を生じないけれども、右の範囲又は程度を逸脱するときは違法となり恐喝罪又は脅迫罪の成立することがあると解するのを相当とする。そして被告人の採つた債権の行使は、社会通念上一般に、債務者の忍容すべきものと認められる程度を明らかに越えるものであるから、たとえ取り立てた金額は、債権の範囲内であつても、その方法において違法たるを免れないのである。従つて、仮りに所論によつても、少くとも脅迫罪の成立することは明らかであり、原判示の量刑はその刑期の範囲内であつて、且つ、原判決の認定した事実によればその量刑は原判決を破棄しなければ

著しく正義に反する場合とも認められず、論旨はこの点において結局とることはできない」（最判昭二七・五・二〇判例カード）。

【259】「仮りに」、本件につき、「公務執行妨害罪が成立しないものとしても、暴行罪の成立することは明らかであり、右暴行罪のみとしても原審の量刑は著しく正義に反するものとは言えないから、刑訴四一一条を適用して原判決を破棄すべきものとは認められない」（最決昭二八・三・一七判例カード）。

【260】「第一審判決は、その判示第四において、公務執行妨害を認めたものではなく、軽き単純暴行罪を認定したものであることとその判示に照し明白であり、従つて、その判示中刑法二〇四条とあるのは刑法二〇八条の誤記と認められるし、その科刑も右暴行罪の外酒税法違反並びに外国人登録令違反の判示併合罪につき懲役一〇月及び罰金三万円に過ぎないから刑訴第四一一条を適用して原判決を破棄しなければ著しく正義に反するものとは認められない」（最決昭二八・七・二判例カード）。

【261】「所論の如く未遂罪であるとしても、只裁判所は減軽を為し得るだけでその他法定刑に変りはなく、その範囲において刑を量定し執行猶予迄言渡した原判決はこれを破棄しなければ著しく正義に反するものとは到底いえない」（最判昭三〇・四・五判例カード）。

三　判決に影響を及ぼすべき重大な事実の誤認

刑訴四一一条三号は、旧刑訴四一四条や刑訴応急措置法一三条二項と異り、「判決に影響を及ぼすべき重大な事実の誤認があ」つて、「原判決を破棄しなければ著しく正義に反すると認め」られることを、上告審における職権破棄理由としている。

これは、控訴理由に関する刑訴三八二条の規定と照応するものである。「事実の認定は、証拠によ」り」（刑訴三一七）、「証拠の証明力は、裁判官の自由な判断に委ね」」られている（同三一八）。しかし、そこには、実験則または経験則に違反してはならないという制約がある。事実誤認が心証の対立であるといわれつつも、なお、且つ、上級審でこれが問題とされ得る契機およびそれが、しばしば、実験則または経験則違反・採証法則違反・審理不尽・理由不備ないし齟齬などの法令違反を相伴つて生ずる理由は、実に、ここに存する。但し、この場合、上級審は、先きの量刑不当の場合と同様、その事後審たる性格上、自ら事実の判断をして、原審の判断とこれとを比較するというのではなく、ただ、原判断の当否を審査するに過ぎない。そして、ここに、問題となるのは、常に、原判断の過程における誤りである。

上告審で、事実誤認の論旨は非常に多いが、最高裁で、本号により、原判決を破棄した事例は比較的に少い。それは、右に述べたようなことと、本号の事実誤認は、単なる事実の誤認ではなく、判決に影響を及ぼすべき重大な事実誤認でなければならないこととに因るものといえる。本号に関する判例としては、次ぎのようなものがあるが、ここに注意すべきは、中には、事実誤認を疑うに足りる顕著な事由があるということ、または事実誤認の疑いということで原判決を破棄したもののあることである。これについては、上告審の安易な破棄であるとして、学者や下級審から兎角批判のあるところであるが（例えば、小野等・前掲九一五頁は、「これは明文にも反し、事後審査を行うに過ぎない上訴審の行き方としては疑問である」とされる）、ことは、前に述べた上告審における事実の取調べという問題と結びつくものであつて、あながちこれを非難することはできない（拙稿「いわゆる松川事件の最高裁判決解説」最高裁判例解説（刑事篇）昭三四年度76事件三二六頁以下、殊に三三〇頁以下参照。なお、この問題に関する文献としては、青柳「上訴審による自由心証の控制」法曹時報八巻一〇号・一一号所載、同・実務講座二六〇八頁以下、同「刑訴四一一条三号による破棄判決」判時一九八号二頁、同「松川事件の最高裁判決について」法律ひ一二巻一〇号四頁以下、井上正治「刑訴法からみた諏訪メモの役割」法律時昭三四年九月号別冊付録一九頁以下、平野「事実認定の審査と最高裁」判時一三四号所載、城「刑訴第四一一条第三号の法意」最高裁判例解説（刑事篇）昭三二年度一九事件七〇頁以下、高橋幹男「いわゆる八海事件の最高裁判決解説」同書五四二頁、斎藤朔郎・事実認定論、青木英五郎・事実誤認の実証的研究、等がある）。

（一）　判決に影響を及ぼすべき重大な事実の誤認があるとして、刑訴四一一条三号により、原判決を

破棄したもの、

【262】『控訴審が被告人の公判廷外の自白等によつて認定した窃盗および同未遂の事実につき、上告審が職権調査の結果、右犯行当時被告人は拘置所に拘禁中であつて、これらの犯罪を行うことのできない状況にあつたことが明らかとなつた場合には、刑訴第四一一条第三号にいわゆる「判決に影響を及ぼすべき重大な事実の誤認がある」ものといわなければならない』（最判昭二九・四・一六刑集八・四・五三二）。

（二）判決に影響を及ぼすべき重大な事実の誤認があることを疑うに足る顕著な事由または同様な誤認の疑いがあるとして、刑訴四一一条三号により、原判決を破棄したもの、

【263】いわゆる二俣事件につき、「刑訴第四一一条第三号は、判決に影響を及ぼすべき重大な事実の誤認あることを疑うに足る顕著な事由があつて原判決を破棄しなければ著しく正義に反すると認めるときも、原判決を破棄することを許した趣旨である」（最判昭二八・一一・二七刑集七・一一・二三〇三）。

【264】「第一審判決に影響を及ぼすべき重大な事実の誤認があることを疑うに足る顕著な事由があつて判決を破棄しなければ著しく正義に反すると認めるときも、刑訴第四一一条第三号により原判決及び第一審判決を破棄しなければならない」（最判昭三〇・一二・九刑集九・一三・二六九九）。

【265】『第一審判決の確定した事実は「……判決参照……」というのである。しかし、本件記録に徴すれば、○○が、被告人の××に対する前記第五六、一九一号公正証書による貸金債権六五、〇〇〇円の譲渡契約を被告人との間に締結したのは、○○において、右貸金債権が未だ消滅せず尚存在するものと信じたが故か、或は被告人において右公正証書の執行正本を入手し得る状態にあつたので、形式上は右貸金債権の担保物となつていた前記土地建物を連帯債務者△△の承諾の下に、○○の××に対して有する求償債権及び○○が被告人から譲受けた別口二〇、〇〇〇円の債権（手形による）の確保のため振り向けて利用するためになされたものかは疑問の存するところであつて、第一審判決が、被告人は前記公正証書による貸金債権は既に消滅している

のにも拘らず、尚存在するものの如く装い、Hをしてその旨誤信せしめて判示約束手形（騙取額は六五、〇〇〇円の範囲内）を騙取したものと認定したことは、重大な事実の誤認を疑うに足る顕著な事由が存するものと認めるので、右第一審判決並びにこれを是認した原判決を確定させることは著しく正義に反するものと認める』（最判昭三一・三・九判例カード）。

【266】「〇〇の本件被告人に対する本件衣料切符用紙譲渡の事実に関する警察殊に、検察庁における供述には、にわかに措信し得ない前記のような諸点の事由があるにもかかわらず、同人の検察官に対する第一、二回供述調書の信用性乃至証明力について更に一段の深い検討を加えず、これを証拠に採つて事実を認定した原判決及び第一審判決には、いずれもその判決に影響を及ぼすべき重大な事実の誤認を疑うに足る顕著な事由があつて、共にこれを破棄しなければ著しく正義に反するものと認められる」（最判昭三一・九・一四判例カード）。

【267】いわゆる幸浦事件につき、「判決に影響を及ぼすべき重大な事実誤認の疑があつて、原判決を破棄しなければ著しく正義に反するものと認めるときは、刑訴第四一一条第三号により原判決を破棄することができる」（最判昭三二・二・一四刑集一一・二・五五四。同旨、いわゆる八海事件についての、最判昭三二・一〇・一五刑集一一・一〇・二七三一）。

【268】「米弗九八三弗を入手しながら正規の期間内に外国為替銀行に売却せず、米国に向け携行輸出したとの公訴事実について、米弗入手の時期、金額について一審で証言している部下の会計係が他に多額の公金を費消している事実があり、その証言内容も他の証拠に照して合理性を欠く上に、被告人の捜査機関に対する自白も弁護人の言を軽信して起訴されないことを予期してなされたかに認められるときは、右公訴事実を認めた原判決は、事実誤認の疑があつて刑訴第四一一条第三号に該当する」（最判昭三二・一二・二六刑集一一・一四・三三九八）。

【269】「家屋（住宅と店舗）の貸主である被告人甲、その息子である被告人乙、その娘婿である被告人丙の三名が、約束の明渡期限経過後現場に臨み、店舗の無断使用者（商事会社）の代理人とみられる者に明渡の猶予を請うていたが、それまでの折衝の経緯にかんがみ事態やむをえないものとして敢えて明渡拒絶の態度

に出なかつたので、被告人側の手で会社の什器類の一部を横の通路に出し、被告人側の商品を搬入した上店舗に施錠したが、その間特に威力を用いた形跡も認められない場合に、これを威力業務妨害にあたるとするのは、判決に影響を及ぼすべき事実誤認の疑いがあつて、刑訴第四一一条第三号により破棄を免れない」(最判昭三四・五・二二判例カード)。

【270】　いわゆる松川事件につき、「判決に影響があつてこれを破棄しなければ著しく正義に反する重大な事実誤認を疑うに足りる顕著な事由があるときは、刑訴第四一一条第三号によつて原判決を破棄することができる」(最判昭三四・八・一〇刑集一三・九・一四一九)。

(三)　証拠不十分として刑訴四一一条三号により原判決を破棄したもの、

【271】「公訴事実に添う日時、被告人自宅において、専売公社の売り渡さない製造たばこ五本が存在した事実を認め得ても、被告人の供述として、辛くて喫めないので捨てる気持で戸棚の中にほうりこんであつたものである旨の一審公判調書の記載があり、一審証人の供述記載等もこれとその軌を一にするものであり、その他全証拠によるも、被告人が右たばこを事実上支配の意思をもつて当該日時場所において所持していたものとは認めることができないときは、被告人が法定の除外理由なく、右日時場所において、専売公社の売渡さない製造たばこ五本を所持していたという公訴事実はこれを認める証拠不十分であり無罪とされることを免れない」(最判昭三〇・一一・一一刑集九・一二・二四二〇)。

【272】　被告人が遺失物たる金二、〇〇〇円を拾得横領したという事件につき、「第一審判決挙示の証拠によつて同判示の如き事実を認定するには未だ十分または相当でないものがあり、結局、本件は判決に影響を及ぼすべき重大な事実誤認の疑いがあるに帰し、原判決を破棄しなければ著しく正義に反するものと認める」(最判昭三二・一二・二七集不載)。

（四）　採証法則違反または理由不備と事実誤認があるとして、刑訴四一一条三号により、原判決を破棄したもの、

【273】「贈収賄被告事件において、不可分の供述の一部をとつて全体の意味と異なる趣旨を認定して職務に関する饗応を認めた判決は、証拠法上の違反があるとともに事実誤認があつて、刑訴第四一一条第一号、第三号によりこれを破棄し無罪の言渡をすることができる」（最判昭三三・二・一四刑集一二・二・六九六）。

【274】「被告人は昭和二八年八月二六日午後一〇時頃、甲方が挙家不在中に乗じ同家屋内に侵入し、同人所有の衣類五点を窃取した旨および被告人が前同日午後一〇時頃、右甲方において、同家に放火して窃盗の犯行を蔽わんと決意し、同家奥六畳間の押入れ上段の布団の間に、マッチで点火した煙草二本を一列に並べておき、その上に薄紙三、四〇枚を被せて放火し、現に人の住居に使用する木造柾葺平家建一棟とこれに隣接する小学校校舎のうち一教室を焼燬した旨の両事実について、前示窃盗の所為は放火の所為のほとんど直前に行われたものであり、同一犯人の所為ではないかと見得る公算が多いにもかかわらず、右窃盗および放火の行われた現場に遺留されていた糞便は被告人のものではないことがあきらかであると認定し、被告人に対し、右放火の事実について無罪の言渡をしながら何ら特段の事由を示すことなく、右窃盗の事実について有罪の認定をした判決は、事実誤認もしくは理由不備の違法があり、刑訴第四一一条により破棄を免れない」（最判昭三六・九・一五刑集一五・八・一四四二）（なお、審理不尽、理由不備、延いて事実誤認があるとして原判決を破棄したものとして、いわゆる八海事件の第二次最高裁判決昭三七年五月一九日判時三〇〇号七頁以下がある。）。

（五）　理由不備や事実誤認はないとして上告を棄却した例は非常に多いが、注目すべきものの例として、

【275】「第一審判決は仕込原料の量の記載が適切でないだけで製造した焼酎の量において起訴状と異るところはない。それ故、刑訴四一一条一号、三号を適用すべきものとは認められない」（最決昭三三・四・一七判例カード）。

（六）　事実誤認の疑いによる破棄判決の拘束力に関するもの

【276】「上告審判決が、原判決には判決に影響を及ぼすべき重大な事実誤認の疑があつて、原判決を破棄しなければ著しく正義に反するとして原判決を破棄差戻したときは、差戻を受けた下級審において破棄理由に指摘された立証上の問題点を積極認定の方向に解明し得ないかぎり、飽くまで下級審を証拠不十分の判断に覊束するというのでなく、もし差戻後の審理の全過程において、破棄理由に指摘された立証上の不備をも超克し得ることが採証、経験、論理の各法則に従つて是認される新証拠が発見され、これによつて原判決にかけられた重大な事実誤認の疑を解消し得るものと認められる場合には、右新証拠を採用して有罪の判定をして差支えない趣旨であると解するのが相当である」（東京高判昭三四・二・二八刑集一二・二・八七）。

【277】いわゆる松川事件につき、差し戻し後の第二審判決は、判示して、曰く、「当裁判所は、本件上告審の破棄差戻し判決の趣旨は、その判示を合理的に解釈すると、同判決は、重点的に二つの連絡謀議についてだけしか明示はしていないけれども、連絡謀議の証拠ばかりでなく、実質上は、その他の謀議、実行行為、アリバイ工作に至るまで上告審の判決時までに取り調べられた全証拠を具体的に検討の上、結局事実全体にわたる証拠の総合判断の上に立つて、本件事実全体について、事実誤認の疑いを結論したものと解する。」「従つて、この上告審の破棄差戻し判決の拘束力により、連絡謀議はもとより、他の謀議も、実行行為、即ちバール、スパナの持ち出し、線路破壊作業も、またアリバイ工作も、上告審判決が判断した事実誤認の疑いを、その証拠だけで、ないしはそれと従前の証拠とを総合して、解消するに足りるような新たな証拠の出ない限り、上告審判決時までに現れた証拠のみで差戻し前の第二審判決が認定した事実と同一の事実を認定することは許されないわけである」（仙台高判昭三六・八・八判時二七五・六）。

四　再審の請求事由

刑訴四一一条四号は、「再審の請求をすることができる場合にあたる事由があ」つて、「原判決を破棄しなければ著しく正義に反すると認め」られることを、上告審における職権破棄理由としている。これは、控訴理由に関する刑訴三八三条一号に照応するもので、このような場合には、判決の確定を待つて再審の請求をなさしめるまでもないということに基づく（小野等・前掲九一五頁八六五頁）。特に、判決に影響を及ぼすべきと断つてないのは、この場合には判決との因果関係の蓋然性が当然予想されるからである再審請求事由は、言うまでもなく刑訴四三五条の規定するところであるが、同条中、特に問題となるのは、その六号の解釈についてである。多くは、事実誤認の問題と相関連する。本号に関する判例としては、次ぎに掲げるようなものがある。

（一）　刑訴四三五条六号にいう「原判決において認めた罪より軽い罪を認めるべき」の意義を明らかにしたもの、

【278】『確定判決の尊重せらるべきことは、憲法三九条の規定からもこれを窺い知ることができるのみならず、旧刑訴三六三条によれば、有罪たると無罪たると免訴たるとを問わず確定判決があつたときは判決を以て免訴の言渡をすべきものと規定されている。されば確定判決を攻撃すべき再審の事由は、これを明瞭厳格に解釈しなければならない。それ故、旧刑訴四八五条六号にいわゆる「原判決に於いて認めたる罪より軽き罪を認むべきとき」というのは原判決の判断したように「原判決が認めた犯罪よりその法定刑の軽い他の犯罪」を認めたときをいうものと解すべきであつて、所論のように個々の具体的場合によつて量刑に異同を来すが如き犯罪の情状を標準とすべきものではない』（最決昭二五・四・二一刑集四・四・六六六）。

（二）　刑訴四三五条六号にあたるとして、同四一一条四号により原判決を破棄したもの、

【279】『原判決後、真犯人が検挙され有罪の判決を受け確定した場合には、旧刑訴第四八五条第六号にいわゆる「有罪ノ言渡ヲ受ケタル者ニ対シテ無罪ヲ言渡スヘキ明確ナル証拠ヲ新ニ発見シタルトキ」に該当し、刑訴第四一一条四号にあたる』（最判昭二七・四・二四刑集六・四・七〇八）。

（三）　刑訴四三五条六号・四一一条四号の場合にあたらないとしたもの、

【280】「第一審認定事実に照応する恐喝被害者の司法警察員あて被害顛末書が、既に第一審裁判所に提出され、しかも同裁判所はこれを証拠として採用していないときは、たとえ被告人において右被害者が第一審および原審において所在不明のため同人を証人として尋問請求しなかつた事情があつても、原判決言渡後同人の所在判明したとの理由でその被害顛末書と異る内容の顛末書と題する書面を新たに上告審に提出しても、刑訴第四一一条第四号第四三五条第六号にあたらない」（最決昭二六・六・二二刑集五・七・一二八三）。

【281】『所論Sの手紙は論旨主張（第一審相被告人Yの単独犯である旨）のとおりであるとしても、第一審相被告人Yの本件事実関係に関する告白についての伝聞を内容とするに過ぎないものであるから、刑訴四三五条六号にいわゆる、新たに発見された「無罪を言渡し、又は原判決で認めた罪より軽い罪を認めるべき明らかな証拠」に該当するものではない』（最判昭二七・三・二〇判例カード）。

【282】「別件記録によれば、Hが収賄の事実につき賄賂としての認識がなかつたものとして無罪を言渡されていることが認められるが、これがため本件（右Hに対する贈賄の事実）につき刑訴四三五条所定の再審の事由が存するものとは認められない」（最判昭二九・四・二〇判例カード）。

【283】『既に証人として供述した者がその供述内容の虚偽である旨記載した書面を提出しても、刑訴第四三五条第六号にいう「明らかな証拠をあらたに発見したとき」にあたらない』（最判昭三五・三・二九刑集一四・四・四七九）。

五　判決後における刑の廃止・変更または大赦

刑訴四一一条五号は、「判決があつた後に刑の廃止若しくは変更又は大赦があ」つて、「原判決を破棄しなければ著しく正義に反すると認め」られることを、上告審における職権破棄理由としている。これは、控訴理由に関する刑訴三八三条二号に照応するもので、原判決自体には、何ら、瑕疵がない場合であるが、既に述べたように、事件の全般的な考察から、特に、衡平という見地に立つて、設けられた規定である（なお、学者によつては、処罰規定そのものの継続または大赦がないことが、全体的な訴訟条件となつているものであるとし、刑訴四一一条五号の根拠をこの点に求める向きもある。例えば、青柳・前掲実務講座二六一三・二六一四頁）。

（一）　刑の廃止・変更

何が刑の廃止若しくは変更であるかは刑法の問題であり、いわゆる限時法〈Zeitgesetz〉の議論を繞つて学説の対立があるところであるが、それも、結局は、刑法が学者のいう行為規範であるか、或いは裁判規範であるかについての見解の相違に由来するということができるであろう（青柳・同講座二六一三頁参照）。この問題に関する判例としては、次ぎのようなものがある（但し、補足意見や少数意見のついたものが多い）。

(1)　刑の廃止の意義に関するもの、

【284】『刑訴第三三七条二号の「犯罪後の法令により刑が廃止された」場合に免訴を言渡すべき旨の規定が憲法第三九条の「何人も実行の時に適法であつた行為については刑事上の責任を問われない」旨の条規の内容をなし又はその反射作用であるから、犯罪後の法令による刑の廃止の場合に免訴の言渡をしなかつたときは、唯に右刑訴法規の適用を誤つたばかりでなく、実は前記憲法の条規に違反し又はその解釈を誤つたものとする趣旨の所論は、独自の見解であつて、是認することはできない。されば、右見解を前提とする本論旨の実質は、単に刑訴第四一一条五号に該当する事由のあることを主張するに帰するのであつて、明らかに上告適法の理由にならない』（最決昭二六・三・二九判例カード）。

(2)　判決後に刑の廃止があつたものとして、原判決を破棄したもの、

(イ)　昭和二五年政令第三二五号違反被告事件につき、

【285】『いわゆる「アカハタ及びその後継紙、同類紙の発行停止に関する指令」についての昭和二五年政令第三二五号違反事件は、講和条約発効後においては刑の廃止があつたものとして免訴すべきである』(最判昭二八・七・二二刑集七・七・一五六二。同旨、最判昭二八・一二・一六刑集七・一二・二五二〇)。

【286】『昭和二〇年九月一〇日付連合国最高司令官の「言論及ビ新聞ノ自由」と題する覚書第三項のうち「公式ニ発表セラレザル連合国軍隊ノ動静」を「論議スルコト」を禁止する部分についての昭和二五年政令第三二五号違反の罪は、講和条約発効後においては、刑の廃止があつたものとして免訴すべきである』(最判昭二八・一二・一六刑集七・一二・二四五七)。

【287】『日本人が昭和二二年四月一日附連合国最高司令官の「日本人の海外旅行者に対する旅行証明書に関する覚書」に違反して、同司令官の承認を受けないで不法に本邦から出国したとの昭和二五年政令第三二五号違反の罪については、昭和二六年一二月一日以降刑の廃止があつたものである』(最判昭二九・一二・一刑集八・一二・一九一一)。

【288】「ドイツ、イタリー等の政府もしくは国民の所有または支配する資産であるとして日本人所有の物の凍結を命ずる連合国最高司令官の昭和二〇年九月一三日附覚書第二六条、同二一年一一月一三日附覚書第一三三五号及び同二三年六月八日附覚書第一三三五号の一についての昭和二五年政令第三二五号違反の罪は、講和条約発効後においては、刑の廃止があつたものとして免訴すべきである」(大阪高判昭二九・一二・一六刑集七・一一・一七〇一)。

【289】『昭和二〇年九月一〇日付連合国最高司令官の「言論及び新聞の自由」と題する覚書第三項の「連合国に対する虚偽又は破壊的批評及び風説」を「論議すること」を禁止する部分および同年九月一九日付同

司令官の「新聞規則」と題する覚書第三項の「連合国に対する虚偽又は破壊的批評」を「行う」ことを禁止する部分についての昭和二五年政令第三二五号違反の罪は講和条約発効後においては、刑の廃止があつたものとして免訴すべきである』（最判昭三〇・四・二七刑集九・五・九四七）。

（ロ）　電気事業法違反破告事件につき、

【290】「電気事業法第三三条違反の所為は、公益事業令が昭和二七年一〇月二四日かぎりで失効した後においては、刑の廃止があつたものとして免訴すべきである」（最判昭二九・一一・一〇刑集八・一一・一七九一）。

【291】「電気事業法第三八条違反の所為は、公益事業令が昭和二七年一〇月二四日かぎり失効した後においては、刑の廃止があつたものとして免訴すべきである」（最判昭二九・一二・三刑集八・一二・二〇六五。同旨、最判昭二九・一二・二三刑集八・一三・二三〇九）。

（ハ）　銃砲火薬類取締法施行規則違反事件につき、

【292】『銃砲火薬類取締法施行規則四五条は、昭和二二年法律七二号「日本国憲法施行の際現に効力を有する命令の規定の効力等に関する法律」一条によつて、昭和二三年一月一日以降は国法としての効力を失つたものであることは当裁判所大法廷判決（昭和二五年（れ）第七二三号同三七年一二月二四日言渡、判例集六巻一号一三四六頁）の判示するとおりであるから、右失効した前記規則四五条を適用処断した原判決は失当であつて、論旨は理由がある』（最判昭二九・九・八刑集八・九・一四六一）。

（ニ）　昭和二一年勅令第三一一号違反被告事件につき、

【293】『昭和二〇年九月一〇日付「連合国最高司令官の言論及び新聞の自由」と題する覚書第三項の「連合国に対する虚偽又は破壊批評及び風説」を「論議すること」を禁止し処罰する部分についての昭和二一年勅令第三一一号「連合国占領軍の占領目的に有害な行為に対する処罰等に関する勅令」違反の罪は講和条約発効後においては、刑の廃止があつたものとして免訴すべきである』（最判昭三〇・六・一判例カード）。

【294】『第一審判決は、被告人らが共謀のうえ「いま福井県敦賀市では占領軍兵員により婦女子に対するにくむべき強姦がいたるところでおこなわれていて、恐怖におそわれた敦賀市民は娘をどしどし疎開させている。うんぬん」という意味の真実に符合せずかつ公安を害するおそれある事項を掲載した新聞を印刷したとの事実を認定して、昭和二一年勅令第三一一号第四条第一項・第二条第三項、昭和二〇年九月一九日附連合国最高司令官覚書「新聞規則」第一項・第二項を適用し、第二審判決は被告人らの控訴を棄却した事件について、第二審判決後に平和条約が発効したときは、原判決後に刑が廃止された場合にあたるものとして、被告人らを免訴すべきである』（最判昭三一・一・二五刑集一〇・一・八九）。

（ホ）　関税法違反被告事件につき、

【295】「北緯二九度以南、同二七度以北の南西諸島が外国とみなされていた当時、免許を受けないで日本内地から同地域へ、若しくは同地域から日本内地へ貨物を密輸出し若しくは密輸入した罪については、その後右地域が外国とみなされなくなつた場合は、犯罪後の法令により刑が廃止されたものと解すべきである」（最判昭三二・一〇・九刑集一一・一〇・二四九七）。

【296】「北緯三〇度以南の南西諸島（口之島を含む）が外国とみなされていた当時免許を受けないで貨物を同地域から日本内地に密輸入した罪については、その後右地域が外国とみなされなくなつた場合は、犯罪後の法令により刑が廃止されたものと解すべきである」（最判昭三二・一〇・九刑集一一・一〇・二五〇九）。

【297】「奄美大島方面から密輸入した物資を内地で運搬する罪は、奄美大島が外国とみなされなくなつた後は刑の廃止があつたものと解すべきである」（最判昭三二・一二・一〇刑集一一・一三・三一九七）。

【298】「密輸入物資の積込先がどこかによつて刑の廃止があると解せられる場合に、それが南西諸島方面というだけで証拠上奄美大島方面、沖縄方面の何れとも認定できないときは、被告人に有利に認定すべきで

ある」（最判昭三二・一二・一〇判例カード）。

【299】「密輸入貨物の積込先がどこかによつて刑の廃止があると解せられる場合に、それが北緯三〇度以南の南西諸島方面からというだけで、同二七度以南の南西諸島からであることを確定できないときは、訴訟条件を欠くものと解すべきである」（最判昭三三・三・一一判例カード）。

（へ）　印紙税法違反被告事件につき、

【300】『昭和三二年四月二〇日法律六九号土地改良法の一部を改正する法律の付則八項により印紙税法五条五号ノ七ノ二として「土地改良区」が非課税団体として加えられ、同年七月一八日同法が施行され、しかも、改正前にした行為に対する罰則の適用についてはなお従前の例による旨の規定は存しないのである。従つて同日以後においては、土地改良区と個人との契約に際し連署によつて共同作成した証書で個人に交付するものについては、印紙税法五条五号ノ七ノ二の土地改良区の発する証書として印紙税の納付を要しないものと解するを相当とし、何ら犯罪を構成しないこととなつたのである。すなわち右改正により、右の関係において印紙税納付を命ずる規範に変更を生じ逋脱行為の可罰性は失われたものというべきであるから、第一審判決中判示第一及び第二の印紙税逋脱の部分は、刑訴三三七条二号にいう「犯罪後の法令により刑が廃止されたとき」に当るものと解しなければならない（昭和二五年（あ）第二七七八号同三二年一〇月九日大法廷判決、集一一巻一〇号二四九七頁参照）。従つて原判決及び第一審判決中判示第一及び第二の印紙税逋脱の部分は刑訴四一一条一号、四一三条但書、四一四条、四〇四条、三三七条二号によりこれを破棄し、右公訴事実につき被告人を免訴すべきものである』（最判昭三六・七・一四刑集一五・七・一〇八五）。

（ト）　団体等規正令違反被告事件につき、

【301】「平和条約発行前に団体等規正令第一〇条第三項の規定により法務総裁から出頭を求められて、こ

れに応じなかつた者に対する同令第一三条第三号該当被告事件について、右条約発効後においては、犯罪後の法令により刑が廃止されたときにあたるものとして、被告人に対し免訴の言渡をするを相当とする（反対意見がある）」（最判昭三六・一二・二〇刑集一五・一二・一九四〇）。

(3) 判決後に刑の廃止があつても、これを破棄するまでのことはないとしたもの、

【302】「第一審判決認定の五個の麻薬取締法違反罪（㈠モルヒネを含有する注射液等（一cc入）二十数管の譲り受け、㈡ないし㈣塩酸モルヒネ等一五瓦の各譲り渡し、㈤パパベリンを含有するツシドリン末三、八瓦の所持）の併合罪中、右ツシドリン末三、八瓦の所持の犯罪は新麻薬取締法（昭和二八年法律第一四号）第二条、同附則第二項、第一六項により刑の廃止があつたこと明らかであるが、これを是認した原判決並びに第一審判決中の有罪部分を破棄しなくとも著しく正義に反するものとは認められない」（最判昭二九・五・一一刑集八・五・六四七）。

【303】「一審判決認定の塩酸トロパコカインの所持については、昭和二八年法律第一四号をもつて改正された麻薬取締法第二条、同附則第二項、第一六項により刑の廃止があつても、一罪中の一小部分に過ぎず、これがために刑の量定に影響を及ぼすこととなきものと認められる場合には、刑訴第四一一条にあたらない」（最決昭二九・五・一一刑集八・五・六五三）。

(4) 判決後に刑の廃止があつた場合にはあたらないとしたもの、

【304】『昭和二二年勅令第一号第一五条第一項、第一六条第一項第七号違反（覚書該当者の政治活動）事件の第二審判決後、覚書該当者の指定の特免があつても、刑訴第四一一条第五号にいう「刑の廃止」があつた場合にあたらない』（最判昭二五・一二・八刑集四・一二・二五三四）。

【305】『尤も、その後、本件物資たる「いか油」は原判決宣告後たる昭和二五年四月一日総理府令、法務府令、外務省令、大蔵省令、文部省令、厚生省令、農林省令、通商産業省令、運輸省令、郵政省令、電気通信

省令、労働省令、建設省令、経済安定本部令第六号により、新令（指定物資輸送証明規則）一条にいわゆる「指定物資」から除外され、従つて新令二条一項の適用を受けないことになつたので、ここに刑の廃止があつた如く見える。しかし、この新令自体を廃止した昭和二六年三月三一日前同府令省令本部令第一号も、その附則二項において「この命令施行前にして行為に対する罰則の適用についてはこの命令施行前にした行為に対する罰則の適用についてはこの命令施行後も、なお従前の例による」との規定を設けている。して見ると、旧令も新令もいわゆる限時法的性格を有するものと解するを相当とするから、昭和二五年四月一日の前記命令が本件物資たる「いか油」を新令一条にいわゆる「指定物資」から除外した際に、「罰則の適用については、なお従前の例による」と云うような附則を設けなかつたからといつて、立法者の意思がこの場合に限り「刑ノ廃止」の効果を生ぜしめようとするにあつたとは到底考えられない（なお所論油糧需給調整規則の改廃についても同様のことがいえるばかりでなく、「いか油」を右規則の適用から除いた所論農林省令第二三号の附則二項は「この省令施行前にした行為に対する罰則の適用については、この省令施行前にした行為に対する罰則の適用については、この省令施行後もなお従前の例による」と規定している）。以上の次第であるから本件は刑訴法四一一条五号にいわゆる判決後「刑の廃止」があつた場合にはあたらないものといわなければならない』（最判昭二六・一〇・一二判例カード）。

【306】「食糧管理法九条に基く命令に違反し同法三一条に該当する犯罪成立後命令の一部変更の結果、所論の大豆が主要食糧から除外されたからといつて既往において成立した犯罪の刑罰を廃止したと解すべき何等の理由も存しない」（最決昭二六・一〇・一八判例カード）。

【307】『憲法三九条にいわゆる「既に無罪とされた行為」とは、確定裁判により無罪とされた行為を指し、所論のように「犯罪後刑の廃止若しくは大赦、特赦があつたとき又は社会の情勢上処罰の必要なきに至つた場合等」をいうものではない。そして、物価統制額が廃止されても一旦成立した物価統制令違反の犯罪を無

罪ならしめるものでないこと論を待たないから、うずら豆に対する物価統制が廃止されたからといつて、その統制額を超えて販売する目的で、うずら豆を所持していた本件犯罪を目して既に無罪とされた行為であるとはいえない』（最判昭二六・一二・五判例カード）。

【308】「論旨後段は本件犯行当時禁止されていた小麦粉の輸送は原審判決後その禁止が撤廃されたから刑訴四一一条二号五号に該当するものとして、原判決を破棄すべきであるというのである。そして小麦粉の輸送禁止は昭和二七年五月三一日農林運輸省令二号により（所論昭和二七年法律一五八号によるとあるは誤りである）撤廃されたので、同日以後の輸送行為は犯罪とならないのであるが、既にその前に成立した輸送罪については、刑の廃止があつたものとして取扱うことのできないことは、当裁判所昭和二三年（れ）八〇〇号同二五年一〇月一一日大法廷判決並びに昭和二四年（れ）二四七一号同二六年三月二二日第一小法廷判決の趣旨に徴しても明らかであるから所論は採用できない」（最判昭二九・一一・二九判例カード）。

【309】「昭和三〇年法律第五一号による銃砲刀剣類等所持取締令の一部改正前に業務その他正当な理由なく刃渡一五センチメートル未満のあいくち（匕首）を携帯した所為については、右改正により刑の廃止があつたものということはできない」（最決昭三一・一二・二五刑集一〇・一二・一七〇一）。

【310】「被告人」が「法定の除外事由がないのに、昭和三二年一一月一〇日午後九時二〇分頃、長岡市城内町一丁目三五〇番地附近道路において、第二種原動機付自転車の後部荷台にH女（当時一八才）を運転進行した」という事件において、「㈣されば、道路交通取締法二三条一項、三〇条、同施行令四一条、七二条が、本件行為の後に改廃されなかつた以上、たとえ右施行令四一条の委任により公安委員会の定めた規則に改正があつたとしても、前記法律、政令、規則が㈢に述べたような性質のものであるから、右道路交通取締法、同施行令の罰則規定は依然存続していたものといわねばならない。そして、その後、道路交通取締法、同施行令を廃止して新らたに制定された道路交通法（昭和三五年法律第一〇五号）の附則一四条は、新法の施行

前にした行為に対する罰則の適用については、なお従前の例によるとしているのであるから、その限度において道路交通取締法、同施行令の罰則規定はなお有効であつて、本件違反行為の可罰性は、今日に至るまで終始かわるところがないと解すべきである。㈤それ故、本件においては、前述新潟県公安委員会規則の改正をもつて、本件行為につき、刑訴三三七条二号により犯罪後刑の廃止があつたとして被告人を免訴すべきものとは認められず、右と異なる原判決および第一審判決は、この点において法令の解釈適用を誤つたものであり、その誤は判決に影響を及ぼすことが明らかであるから破棄を免れない。上告論旨は、以上説示したところと必らずしも理由を同じくしないが、結論とするところは結局正当である。三、よつて、刑訴四一一条一号、四一三条但書に則り原判決および第一審判決を破棄し、同四〇〇条但書により、当裁判所は次のとおり判決する（原審は第一審の免訴の判決を維持したが、被告人の本件犯罪事実の存在については、第一審がこれを適法に確定していることは判文上明らかである。よつて、当裁判所は、事実の取調をすることなく有罪の判決をなしうるものと解する。昭和二六年（あ）第二四三六号、同三一年七月一八日大法廷判決、刑集一〇巻七号一一四七頁参照）」（最判昭三七・四・四裁時三五一・五）。

㈡ 大　赦

大赦は、いうまでもなく、行政権による国家刑罰権の免除の宣言であるが、大赦に関しては、刑の廃止・変更の場合と異り、刑法五二条および刑訴三五〇条の如き規定があるから、原判決後に大赦があつたからといつて、これらの規定を、確定判決後のものだけに限定して考えない限り、なお、救済を受ける途はあることを注意すべきである。

終戦後、数次の大赦があつたので、この種の判例はかなりの数に達しているが、その主なものを挙げると次ぎのとおりである。

(1)　大赦の意義に関するもの、

【311】「所論減刑令は刑の執行に関する規定であつて、」原判決後にこれが公布されたからといつて、刑訴「四一一条五号の場合にあたらない」(最決昭二八・二・一七判例カード)。

(2)　判決後に大赦があつたものとして、原判決の全部を破棄したもの、

【312】「一、大赦令により赦免される罪が改正前の刑法第五五条により一個の連続犯をなす場合に、その一部の行為が同時に赦免されない他の罪名に触れるため赦免されなくても、その余の行為は赦免される。二、控訴判決後に、連続犯の一部が大赦令により赦免されたため、原判決の刑の量定が甚しく不当となり、これを破棄しなければ著しく正義に反する場合には、原判決を破棄すべきである」(最判昭二八・六・二四刑集七・六・一三七一)。

【313】「佐賀県籾摺業者取締規則前文の食糧管理法施行令一三条に依拠する旨の記載にかかわりなく本件規則三条の報告義務については食糧管理法一三条同法施行規則三一条二項に基くものと」「解する結果、本件佐賀県規則三条違反の公訴事実は昭和二七年政令第一一七号大赦令第一条八六号により大赦せらるべきものである。右と異る見解に出て、一審判決を維持した原判決は法令の解釈を誤り判決があつた後に大赦があつた事由を看過するという違法があることとなり、一審判決については判決後大赦があつた場合にあたり、いずれもこれを破棄しなければ著しく正義に反するものと認められるのであつて、所論は結局理由あるに帰する」(最判昭二九・一〇・二二刑集八・一〇・一六四四)。

(3)　判決後に大赦があつたものとして、原判決の一部を破棄したもの、

【314】「刑法第四五条前段の併合罪中甲罪につき懲役刑が、乙罪につき罰金刑が選択され、両者が同法第四八条第一項により併科され懲役および罰金の言渡があつた後、乙罪につき大赦があつたときは、罰金を言

渡した部分のみを破棄すべく、全部を破棄すべきものではない」(最判昭三五・五・六刑集一四・七・八六一)。

(4)　判決後に大赦があつても、原判決を破棄すべきではないとしたもの、

【315】「第一審判決において有罪を認めた、併合罪の関係にある二九個の臨時物資需給調整法違反の罪のうち二個の犯罪について原判決後大赦があつても、他にもこれと併合罪の関係において有罪と認められた大赦にかからない多数の犯罪があつて、しかも右大赦にかかる部分が違反額総計一二一万四九五〇円のうち僅か五一五〇円の違反行為にすぎないときは、原判決ならびに第一審判決を破棄しなくても著しく正義に反するものとは認められない」(最判昭二八・二・一九刑集七・二・二六〇)。

【316】「臨時物資需給調整法違反(繊維製品配給統制規則第九条、第一〇条違反)被告事件につき高等裁判所が上告審としてした判決に対し再上告の申立があり、該事件が最高裁判所に係属中に右被告事件について大赦があつても、これを理由に免訴の判決をすべきものではない」(最判昭二八・二・一九刑集七・二・二九九)。

五　刑訴法四一一条を繞る諸問題

一　上告中に公訴の時効が完成した場合と刑訴四一一条

「死亡又ハ期間ニヨツテ消滅スル訴権ハ一度訴訟ニカケラルヤ保全セラル」〈Actiones quae morte auto tempore pereunt semel inclusae judicio salvae peremanent.〉といい、「訴訟行為ヲ為シ得サル者ニ対シテハ時効ハ進行セス」〈Contra non valentem agere non curit praescriptio.〉といわれる。

現行刑訴には二五四条の如き規定がある結果、いわゆる新法事件(刑訴施行法一条・四条参照)については、審理中、

まして上告審の手続中に、公訴の時効が完成するというような事態は生じない。あるとすれば、それは、検察官が時効の完成に気ずかないで、公訴を提起したとか、公訴事実に対する法律評価が、検察官と裁判所とで異り、裁判所の評価によれば、既に、これが時効が完成していると見られるが如き場合であろう（そして、特に、この後者の場合につき、最判昭和三一年四月一二日刑集一〇巻四号五四〇頁は、「検察官が犯行後一年一月余を経過したときに名誉毀損罪として公訴を提起した公訴事実を、裁判所が侮辱罪に該当する所為と認めるときは、被告人に対し公訴の時効が完成したものとして免訴の言渡をなすべきである。」としている）。しかし、ここに問題としているのは、このような場合（これは、刑訴四一一条一号の場合である）ではなく、公判の審理中、特に上告中に時効が完成したという場合である。ことは、いわゆる旧法事件（刑訴施行法二条・三条参照）と準新事件（刑訴施行法三条の二参照）について生ずる。

旧刑訴には、刑訴二五四条の如き規定がなかつたため、第二審判決後、上告審において、公訴の時効が完成するというようなことも予想されたわけであるが、その時代にすら、かかる場合の措置については、法律に、何らの規定がなかつた。かかる場合に関し、大判大正一四年二月五日刑集四巻三九頁は、原審判決当時一八歳未満で少年であつた被告人が旧少年法八条により不定期刑の言渡しを受け、上告中、被告人が満一八歳に達したという事案において、最早や同条を適用すべきではないという上告理由を斥けた判示の中で、「上告ハ刑事訴訟法第四百十二条乃至第四百十五条ニ規定スル場合ノ外法令ノ違反ヲ理由トスルトキニ限リ之ヲ為スヲ得ルモノナルコト同法第四百九条ノ規定スル所ニシテ法令違反ノ有無ハ専ラ原判決当時ノ事情ニ基キテ之ヲ決スヘク爾後ニ生シタル事由ヲ取捨シテ之カ判断ヲ為スヘキニ非サルハ言ヲ俟タス刑事訴訟法第四百十三条第四百十五条ヲ以テ原判決後ニ生シタル再審ノ原由或ハ原判決後ニ於ケル刑ノ廃止若ハ変更又は大赦ヲ以テ上告理由ト為スコトヲ得ル旨ノ特別規定ヲ設ケタル法ノ精神ニ鑑ミルモ是等特定ノ事由ヲ外ニシテハ原判決後ニ生シタル事由ヲ以テ上告ノ理由ト為スコトヲ許ササルコト益益明白ナリト云フヘシ」という見解を明らかにしており、これはまた学者の採るところでもあつた（例えば、林頼三郎・刑訴法論六九六頁）。しかし、このような考え方に対しては、もちろん、衡平の原則から考えて、いかにも不都合であるという非難があり（小野清一郎「上告理由たる法令違反の有無を決する標準」刑訴法判例研究三三四頁以下）、それかあらぬか、大判昭和一四年九月二九日の如きは、原判決後の時効完成につき、上告審に、職権調査を認め、「本件（昭和一二年一〇月六日前橋地裁が言渡した第二審判決に対し被告人より上告のあつた村会議員選挙罰則違反被告事件）犯罪事実ニ対スル公訴時効期間ハ六月ナルコト町村制第三十七条衆議院議員選挙法第百三十八条第二項ニ依リ明カナルトコロ今ヤ共犯人」甲、乙、丙「カ各上告ヲ取下ケタル昭和十三年二月十日ヨリ既ニ六月以上経過セルヲ以テ時効ハ完成セルモノニシテ刑事訴訟法第四百五十五条第三百六十三条第四号ニ則リ免訴ヲ言渡スヘキ場合ニ該当シ結局被告人ノ上告ハ理由アルニ帰ス」と判示し、旧刑訴四四七条、四四八条を適用し、原判決中被告人に関する部分を破棄し、被告人に免訴の言渡しをしている。その他、これと同じような傾向にある判例として、原判決後法令の変更があつた場合に関する大判明治四一年一〇月二九日刑録一四輯九五八頁、原判決後親告罪の告訴の取下げのあつた場合に関する大判大正元年一一月一五日、同大正三年九月一七日、等を見るに至つていた。

昭和二五年法律第二六七号（昭和二六年一月四日施行）により、刑訴施行法に三条の二が加えられるに及び、新法施行前に公訴の提起があつた事件で、最高裁が上告裁判所であるものの上告については、刑訴応急措置法一七条の規定により最高裁が上告裁判所であるものの上告を除き、刑訴施行法二条の規定にかかわらず、刑訴中の上告審に関する若干の規定が適用されることになつた。かかる事件がいわゆる準新事件であるが、刑訴施行法三条の二には刑訴四一一条は挙示されているけれども、第一審に関する規定である同二五四条の如きは挙示されていない。そこで、準新事件においても、原判決後における公訴時効の完成という事態は起り得るのであるが、同四一一条には、職権破棄理由として、原判決後における公訴時効の完成ということは、何ら、挙示されていない。従つて、準新事件についても、ことは、全く、前述の旧法事件の場合と同様である。

　そこで、準新事件における原判決後の公訴時効ということについては、果して上告審で職権調査ができるものか否か、ないし上告審に職権調査の義務があるかどうか、また、仮りに職権調査ができるとしても、その調査をした結果、原判決後における公訴時効の完成を認めた場合、果して刑訴四一一条の何号によつて、原判決を破棄すべきかの問題があるわけである。この点に関し、ドイツの学説・判例は、広く、この調査義務を認めるものの如くであるが（Vgl., Löwe-Rosenberg, D. StPO u. d. GVG v. 20. Sept. 950m. d. RWGv. 25 Aug. 1950, S. 35.）、既に述べたとおり、刑訴四一一条の解釈に関しては、それが任意的な職権調査の規定であるという最高裁の屢次の判例があるから、このような見解を採る限り、我が刑訴の下において、この場合にのみ、その義務を認めるということは困難であろう（但し、私が刑訴四一一条の職権調査には義務的な場合があるように考えることは既に述べたとおりである）。結局、我が刑訴の下においては、判例のような立場に立つ限り、その調査を認めるとしても、精々、任意的なものとするほかはないことになろう。また、原判決後に時効が完成したという場合は、原判決自体には何ら瑕疵がないのに、ただ衡平という見地からみて、なお且つ原判決を破棄するのである（この意味で、矢張り、「法律ハ善ト衡平ノ術ナリ」〈Ius est Ars boni et aequi〉といえる）から、刑訴四一一条一号によるべきではなく、五号の準用ということにならざるを得ない（追つて、この問題に関する文献として、田宮「公訴時効についての二三の問題――桐生のロックアウト事件から」ジュリスト二〇六号三〇頁以下、伊達「後期判例【317】の解説」最高裁判例解説刑事篇昭和三〇年度八事件二一頁以下、拙稿「後記判例【319】の解説」最高裁判例解説刑事篇昭和三五年度七八事件三三二頁以下を参照）。

この問題に関する判例としては、次ぎの如きものがある。

（一）原判決後記録が最高裁に送られるまでに、既に、公訴時効が完成していたと認められる事件につき、

【317】「原判示第二脅迫の事実については、原判決の宣告後本件記録の当裁判所に送致された昭和二九年六月三〇日までに既に三年以上を経過し、しかも、その間、公訴時効中断の事実のないことは、本件記録上明らかである。とすれば、右犯罪に対する公訴時効の完成したことは所論のとおりであつて、右事実については被告人に免訴を言渡すべきであつて、この点において原判決は破棄を免れない。」「よつて刑訴施行法二条三条の二刑訴四一一条五号を準用し、原判決破棄の上旧刑訴四四八条四五五条三六三条四号により原判示第二の事実（脅迫）について被告人を免訴すべきものとする」（最判昭三〇・一一・二二刑集九・一二・二六九）。

【318】「贈賄の事実については、原判決の言渡後、本件を当裁判所が受理した昭和三一年六月二二日までに既に三年以上経過し、しかも、その間公訴時効の中断の事実のないことは記録上明らかであるので、右の罪に対する公訴の時効が完成したものであるから、共に被告人に免訴の言渡をすべきであつて、この点において原判決は破棄を免れない。よつて、刑訴施行法二条、三条の二、刑訴四一一条により、原判決破棄の上、

旧刑訴四四八条、四五五条、三六三条三号、四号により被告人を免訴すべきものとする」（最判昭三一・九・一四判例カード）。

（二）　上告審で公訴時効が完成したものと認められた事件につき、

【319】「職権をもつて調査すると、被告人らに対する本件建造物侵入の公訴は、昭和二三年二月一九日提起されたものであること記録上明白であるから、刑訴施行法二条、三条の二の規定により、本件公訴の時効、その中断等については、旧刑訴二八一条、二八五条等旧刑訴の規定の適用を受けるものであつて、新刑訴二五四条等の適用を受けるものではないことはいうまでもない。しかるところ、昭和二六年六月一九日本件について原判決が言渡され、同二九年六月八日本件記録が当裁判所に送付され同年同月一〇日附をもつて本件上告趣意書提出最終日の指定がなされ、同月一一日又は一二日被告人らに対し右指定の通知書が送達されてから本件公訴時効の期間三年を経過するまでの間に前記旧刑訴二八五条所定の公訴時効中断の事由に該る手続がなされた事実を認めることはできない。されば、本件公訴は、その時効が完成したものとなさざるを得ない。そして、かような場合においては刑訴施行法二条、三条の二、刑訴四一一条五号を準用し、原判決を破棄の上旧刑訴四四八条、四五五条、三六三条四号により被告人らを免訴すべきものであること当裁判所の判例とするところである（昭和二九年（れ）一三号同三〇年一月二一日第二小法廷判決判例集九巻一号六九頁以下、および、昭和三一年（れ）八号同年九月一四日同小法廷判決参照）」（最判昭三五・六・九刑集一四・七・九五三）。

二　特別抗告と刑訴四一一条

等しく特別抗告といつても、それには、刑訴応急措置法一八条による特別抗告と、刑訴四三三条による特別抗告とがある。

前者につき、同四一一条の準用を認める余地のないことは、当然である（現に、最決昭和二八年六月一〇日刑集七巻六号一四一九頁は、「刑訴応急措置法

第一八条による特別抗告には、刑訴第四〇五条第二号第三号および第四一一条第一号は準用されない」旨を判示している）が、後者につき、同条の準用があるか、どうかは、問題のあるところである。

刑訴四三三条所定の特別抗告で、適法な抗告理由となるのは、同四〇五条に規定されている憲法違反と判例違反であり、これらの事由につき、最高裁で職権調査ができることは、刑訴規則二七五条の規定によつて明らかであるが、その余の事由については、これができるか否かの争いがある。

先ず考えられるのは、特別抗告についても、刑訴四一一条の準用を認むべしとする説とこれを否定する説である。積極説の根拠は、正義を維持するためには、最高裁は、当然、かかる職権破棄権を保有し、これが発動が許さるべきであるということであり、消極説の根拠は、これに関する明文の規定がないということである。従つて、若しここに更に判例の一般的な傾向に従い、明文がなくて判決に関する規定を決定に準用するに当つては、少くとも、これを、「当該事件に対する終局的裁判」たる決定に限定すべきであるという立場（上告棄却決定につき非常上告を認めた最判昭和二五年四月一三日刑集四巻四号五六七頁、上告棄却決定につさ再審請求を認めた最決昭和三一年五月二一日刑集一〇巻五号七一七頁を参照）に立つならば、特別抗告についても、また、原裁判が、「当該事件に対する終極的裁判」である場合に限つて、刑訴四一一条の準用を認めようとする、いわば中間的な考え方が、生れて来るであろう。

この問題に関し、明確に積極説を打ち出している判例としては、次ぎにかかげるようなものがあり（最高裁で最初にこの点を明確にしたのが第二小法廷の判例、後出【320】および【321】で、次いで第三小法廷の判例、後出【322】がこの見解を採ること明らかにしたが、第一小法廷にはこの点に触れたものがなく、また、大法廷の決定中には、積極説に従つたものの如く窺われるもの（昭和三二年六月一二日刑集一一巻六号一六四九頁）と、消極説によつたものの如く窺われるもの（昭和三一年六月一三日刑集一〇巻六号八四七頁）とがあつて、大法廷の明確な決定が待たれていたところ、この期待に応えて生れたのが、後出の判例【323】である）、そして、これが次第に学者の賛同を得るに至つている（団藤・綱要四七四頁、平野・刑訴法（全集）三三八頁、戸田弘「抗告」前掲実務講座二六九五頁、高田・刑訴法五九〇頁等参照）。

【320】「特別抗告については、刑訴第四一一条の準用がある。」「被告人（控訴申立人）に対し、保釈決定原本に記載された制限住居とまつたく異つた制限住居を記載した謄本が送達せられ、被告人はそれを正しい謄本と信じて謄本記載の制限住居に居住していた場合に、控訴裁判所が原本記載の制限住居に宛てて控訴趣意書提出最終日通知書の送達を試み、それが不送達になつたのち、さらに同所に宛てて郵便に付する送達の方法をとり、右通知書は現実にも被告人に到達しなかつたが、同裁判所は控訴趣意書不提出の理由で控訴棄却の決定をしたのに対し、被告人から右事情を述べて異議の申立をしたにも拘らず、原決定が前記郵便に付する送達は有効であるとして異議申立を棄却したのは、刑訴規則第六三条の解釈を誤つた違法があり、刑訴第四一一条を準用して原決定を取り消さなければ著しく正義に反するものと認められる」（最決昭二六・四・一三刑集五・五・九〇二）。

【321】保釈保証金没取決定の取消決定に対する特別抗告事件において、「特別抗告については、刑訴第四一一条の準用がある」（昭和二五年（し）第六四号同二六年四月一三日第二小法廷決定集五巻五号九〇二頁参照）（最決昭三一・八・二二刑集一〇・八・一二七三）。

【322】公判期日変更決定に対する検察官の異議を棄却した決定に対する特別抗告事件において、右【321】と同旨判示（昭和二五年（し）第六四号同二六年四月一三日第二小法廷決定、集五巻五号九〇二頁、昭和三一年（し）第二五号同年八月二二日第二小法廷決定、集一〇巻八号一二七三頁参照）（最決昭三六・五・九刑集一五・五・七七一）。

【323】「原裁判所の裁判長が被告人××の判決宣告期日を追つて指定する旨宣したのは、被告人××の留学の便宜を考慮し、五年後に同被告人が帰国した後に判決宣告をしようとする意図によるものであること、記録によつて明らかであつて、かように訴訟とはなんら関係のない被告人の個人的事情のみを考慮して五年後に判決宣告をしようとするのは、迅速裁判の要請に著しく反するものというべきである。したがつて、かような右裁判長の処分およびこれを維持した原異議申立棄却決定は、いずれも違法であり、かつ原決定を破棄しなければ著しく正義に反するものと認められる。よつてかような場合には、最高裁判所は、刑訴四一一条を準用することができるものと解すべきであるから、原決定および前記裁判長の処分は、他の申立理由について判断するまでもなく、取消を免れない」（最決昭三七・二・一四裁時三四八・五）。

三　刑訴四一一条の改正に関する問題

最高裁に事件が輻湊し、その非常な努力にもかかわらず、一時的な現象にもせよ、一部の事件については、審理・裁判が遅延するという残念な事態が生じたことから、急に、最高裁の機構改革ということが問題となり、それが、上告理由の問題と併せ論ぜられるに至っていることは、周知のとおりである。そして、この問題については、既に、最高裁案、日弁連案、衆法委案を初め、学者・識者の私案が公表されており、各種の意見は、略ぼ出揃った感じである。

今、これを上告理由のみに限って言えば、一番問題となっているのが、法令違反である。そして、旧々刑訴は、裁判が「法律ニ違背シタルコト」を以って上告理由とし（旧々刑訴二六八）、旧刑訴は、「法令ノ違反」を上告理由としていた（旧刑訴四〇九）ことから、広く、一般の法令違反をもすべて上告理由とすべしという意見、民訴上告特例法の線に副って、一般の法令違反を上告理由とするが、法令の解釈に関する重要な主張を含むと認めるものに基づいて、調査すれば足りるものとする意見、刑訴四〇六条を採り入れて、法令の解釈に関する重要な事項について、判断を誤ったことを上告理由とすべしという意見、同四一一条一号をそのまま上告理由とすべしという意見、民訴と同様、判決に影響を及ぼすことが明らかな法令の違反があることを上告理由とすべしという意見、或るいは、これより少し拡げて、判決に影響を及ぼすべき法令の違反があることを上告理由とすべしという意見、その他等々が相対立している。その間に、現在の上告理由を維持しようという強い意見のあることは、もちろんである。

最高裁の機構をそのままにして事件を減らそうとすれば、勢い、上告理由は、更に、制限されることになろうし、最高裁の機構を改めて事件を減らそうとすれば、その機構をいかに改めるかに従つて、上告理由は、或るいは制限され、或るいは拡張されることになろう。

しかし、いかなる制度も、それが人によつて運用されるものである以上、それを運用する人の問題を離れては、これを論ずることはできない。もちろん、制度は優れたものであるに越したことはないが、いくら制度が優れていても、それを運用する人に人を得なければ、その制度の機能は決して十分に発揮されるものではない。これとは逆に、制度には多少足りない点があつても、それを運用する人に人を得るならば、右の欠陥は、運用に妙を得ることによつて、これを補うて余りがある。上告理由についても、これを運用する人、つまり裁判官、検察官、弁護士にその人を得ることが必要であつて、常に、その能力と誠実さとが問題とせらるべきである。

よい論旨が出でずしてはよい判決は生れないし、最高裁で職権調査の労が惜しまれない限り、上告理由は現在のままであつても、刑訴四〇六条・四一一条の活用によつて、裁判の過誤は、容易に、救済され得るように思われる。改正の前に、なお一層の研究と熱意とが必要なのではあるまいか。

むすび

上来、私は、学説を緯、判例を経として、上告審における職権破棄理由という織物を製作することを念願し、及ばずながら、刑訴四一一条の意義を明らかにしようと努めて来た。しかし、何分、忙しい公務の余暇の執筆であり、不十分の点や誤解している点も少からぬことと思われる。寛恕と叱正を賜わるならば、私の幸いこれに過ぎない。

刑訴四一一条は、上告裁判所の宝刀である。下級審としては、上告審をして、なるべくこの宝刀に血濡らさしめることのないよう心懸けると共に、若し下級審の判決に過誤があつた場合には、上告審としては、断乎、この宝刀に真価を発揮せしめられるようお願いし、裁判所・検察官・弁護士相携え、よく刑訴一条・刑訴規則一条の精神を生かして、少しでも、裁判に過誤がないように相努めて行きたいものである。

刑事補償

横山晃一郎

はしがき

刑事補償に関する判例の綜合的研究にあたつて、次の二つの点に留意した。

㈠ 判例を法典に即し、歴史的に取扱うこと

㈡ 判決事実と判決（結論）の対応関係を、できるだけ正確にとらえること

判例を、旧刑事補償法時代、新刑事補償法時代に分けたのは、㈠の理由によるのであり、詳しすぎるほど詳細に事実をのべたのは、㈡の理由に基く。

なお、参照した判例集の最終巻号は次のとおりである。

最高裁判所判例集　第一五巻七号
高等裁判所判例集　第一四巻四号
下級裁判所刑事裁判例集　第二巻九・一〇号

このほか、大審院判例集、高等裁判所刑事判決特報、高等裁判所刑事裁判特報、第一審刑事裁判例集を参照した（すべて完結）。

一　刑事補償の理論

一　冤罪者

どんな社会、どんな時代でも、刑事事件の被疑者、被告人とされることは、屈辱であり、苦痛である。しかも、その屈辱、苦痛は、決して被疑者、被告人本人だけにとどまらない。それは、必ず、家族から親族、知人にまでおよんでいく。

だがそれも、彼が罪を犯したのなら、まだ、やむを得ない、といえよう。しかし、もしそれが身に覚えのないことだつたらどうか。屈辱と「失われた正義」の苦痛は、彼の心を狂わせてしまう。冤罪者の、こういう苦しみにふれるとき、「誤りたる刑事裁判の為めに長く牢獄の惨苦を嘗めさせられた人々は異日其の無辜の明白となりたる暁に於て、当然国家に向つて何等求むる所があつて然るべきである。国家も亦必然之に対して責任を感じて然るべきである」（末弘厳太郎「誤判賠償の根本原理」大正一二年改造七月号）という声は、思わず、口をついてでてくる。

二　刑事補償の要求

今日の法感情からすれば、当り前の、法制度としての刑事補償を求める声は、しかし、歴史的性格をもつものである（小野清一郎「刑事補償の法理」国家学会雑誌第四六巻五、六、八、九号、特にその五、六号、泉二新熊「刑事補償法論」昭和六年立興社、滝川幸辰「刑事補償法」新法学全集参照）。それは、「公」刑罰が「私的」不法行為から区別され、刑罰権の実現が専ら国家の仕事となつた、近代国家以後おこつてきた。またそれも故ないことではない。なぜなら、刑罰が不法行為と区別されないところでは、刑罰権の行使による補償は問題にならないし、又刑罰権の発動が被害者や公衆の訴追にかけられている社会では、誣告は問題となつても、国家の刑罰権行使にまつわる不法、したがつてその補償という問題は起りにくいからである（そこでは、彼の苦痛の原因を作つたのは、訴追者である被害者か公衆で、国家ではない、と考えられている）。つまり、刑罰権実現のための訴追が、専ら国家によつて行われる社会に、始めて、法律制度としての刑事補償という問題意識の生れる可能性がでてくる。すなわち、これまで、個々の人間の悪意や過失、思い違いに帰せられていた不当処罰の原因が、国家という変らない訴追者をえて、これに集中し、刑事手続という「制度」と損害との関係が意識されるようになるからである。

しかし、国家訴追主義の行われる社会、というのは、刑事補償という法律制度が考えられ、生みだされるための前提、一つの事実的前提にすぎない。それが、現実に、一つの法律制度として確立されるためには、なお、次のような思想の推移が必要であつた。その第一は、個人主義思想、人権意識の覚醒である。他人の故ない苦痛が、自分の苦痛として意識されないような社会、人間が人間として尊重されない社会には、刑罰権の発動から起つた損害を塡補しよう、という考えは起らない。したがつて、国民を統治の対象としてのみ眺め、一個の人格として取扱わない専制国家（絶対主義国家）では、刑事補償は全く考えられないか、開明専制君主の仁慈の対象としてのみ存在する。一七六六年のプロシヤの「訴訟の短縮に関する新条例」しかり、一九三一年の旧刑事補償法も亦、その意識において同じであつた（旧刑事補償法審議の際、渡辺千冬司法大臣の述べた「国家ガ賠償スル義務モナシ、補償スル義務モナイノデアリマスケレドモ、国家ハ一ツノ仁政ヲ布キ国民ニ対シテ同情慰籍ノ意ヲ表スルノガ、此法律ノ精神デアリマ」すという言葉や、法案の「給与ス」という語句の中に、その性格を見ることができよう）。しかし、それだけではまだ不充分である。個人主義思想の拡がり、人権意識の昂揚は、たしかに、寃罪者に対する同情を呼び起すが、それが国家の責任とされ、補償が一つの法律制度になるためには、更に、国家無責任の原則が打ち破られなければならなかつた。

近代国家は、封建的束縛をたちきる強力な力の体系として立ち現れた。すべてのものから独立し、自由であることを願う近代国家は、その行為に対する他からの批判を拒否し、「国家は不法をなさず」と唱える。公益の貫徹をはかる国家が、公益に反することをする筈がない、というのである。こういう、国家主権の絶対性を主張し、理念と現実の差異に目をとめない考えは、ブルジョア革命後の法治国思想によつて次第にくつわをはめられ、国家も亦自己の定めた法には服さなければならない、国家も亦不法を犯しうる、ということが認められるようになつた。

三　刑事補償の理論的基礎

個人主義思想の拡がり、法治国思想の展開は、刑事補償への道を開いた。故意又は過失によつて他人の権利を侵害したものは損害賠償の責を負わなければならない——もしこれが私人にあてはまるのなら、国家の場合もそうでなくてはならない、国家機関（刑罰機関）の故意又は過失によつて寃罪者を出したのなら、その損害は国家が負うのが当然だ、というのである。こうして個人主義思想したがつて個人主義的法律観は、刑事補償への道を開いたが、それは容易にのぼることの出来ない道であつた。寃罪に泣くものは、あるいは少くないであろう。しかし、その原因が国家機関の不法行為であるような事件は、決して多くはない。個人主義思想は、声を大にして寃罪者の苦痛を叫び、力をつくして刑事補償への道を開いた。しかし、それは「ラクダが針の穴から通る」に等しいものであつた。寃罪者に対する損害の補償は、全く別の角度から考えられなければならない。こうしてでてきたのが、社会連帯思想、団体主義的法律観にもとづく刑事補償の論理である。

寃罪者の苦痛は、それが国家機関の不法行為によつてひき起されたものであろうとなかろうと、損失、苦痛ということからすれば、何の変りもない、それなのに一方は補償されるが他方は補償されないというのは、果して正義であろうか。しかし、これは個人主義的法律観に立つかぎり、当然の帰結である。そこで寃罪者の苦痛、損害を直接刑事手続に結びつけず、その損害だけを塡補という立場からながめよう、という見解があらわれる。寃罪者の苦痛、損害を、救助すべき状態又は一つの災害とみて、それに対する塡補を社会政策的見地又は社会保険という観念で考えよう、というのがそれである（Bentham. Theory of legislation. 1931 p. 471. 末弘・前掲がそうである）。これも、たしかに一つの見解であり、これによつて寃罪者の窮乏は救われ、物質的損害は回復されるかもしれない。しかし、その論理は果して寃罪者の心をなぐさめるだろうか。彼は乞食ではない。彼の現在の不幸は、全く、国家からきているのである。一体刑事手続がただ適法なものであつたというだけで、刑罰権の行使と苦痛との関係がたたれ、その損害が災害とみなされてよいものか。ここに無過失損害賠償責任という思想に支えられた公法上の損失補償という考えがでてくる（例えば、O. Mayer, Deutsches Verwaltungsrecht, II Band 1917. S. 516）。それが、法律制度としての刑事補償を基礎づける最後の論理である。

国家は、社会の秩序を維持するため刑法をつくり、その違反者に対し、司法の利剣をふるつてこれに対抗する。しかし、司法の利剣は双刃の剣である。神ならぬ身がこれをふるうときは、誤ちなきを得ない。国家は法の否定者を否定しようとして法の目的から離れ、心ならずも、善良な市民を傷つけてしまう。これが冤罪者である。しかし国家は、この犠牲によつて、法秩序を維持し、社会も亦、安楽の生活を営むことができるのである。もしそうだとすれば、この犠牲者の損害、苦痛は、それによつて利益をうけた国家、社会が負担するのが当然ではないか。配分的正義は、これを要求する。「我ら神より幸をうくるなれば、災をも亦、うけざるを得んや」というヨブの答は、そのまま、国家の声でなくてはならない。これが刑事補償を支える論理である。つまり、刑事補償とは、法が本来予期していない冤罪者の刑事手続にもとづく損害・苦痛を、配分的正義の立場から国家が補償する制度である。

それでは、刑事補償のこういう論理が、どのようにわが国で立法化され、現実化されたか、それを旧刑事補償法と新刑事補償法についてながめていこう。

二　旧刑事補償法時代

一　旧刑事補償法の成立

旧刑事補償法は、昭和六年成立した、時の内閣は浜口内閣、議会は第五九回帝国議会である。官憲の人権無視、横暴という声と、大正年間の終りから漸く高まつてきた学界・民間の関心が議会を動かし、政府を動かしたのである（立法化の動きは、大正一二、三年頃司法省刑事局から始まり、「不当ナル刑ノ執行又ハ未決勾留ニ因ル損害賠償ニ関スル法律」案、それを修正した「刑ノ執行又ハ勾留ニ因ル補償ニ関スル法律」案などが作られた。しかし、それは実現せず、昭和にもちこされた。昭和四年宮古啓三郎外九名から「刑ノ執行又ハ勾留ニ因ル補償ニ関スル法律案」が議会に提出されたが流れ、翌五年一松定吉外二名によつて「国家賠償法案」が提出された。しかし、これも実現しなかつた）。しかし、議会に提出された刑事補償法案は、立法者の強い「仁政」意識に貫かれ（一二二頁割註参照）、その補償条件も、決して現実に即応したものとはいえなかつた。例えば、この法律で受償主体とされたのは、無罪が裁判で確認されたものに限られたから、勾留されたが不起訴になつた年間百万以上の被疑者はこの恩恵にもれ、また補償の対象も、未決勾留と刑の執行に限られたので、違警罪即決例で勾留をうけ、正式裁判を請求して無罪となつたものは、警察勾留中の補償を請求できなかつた。そればかりではない。この制限された受償資格を、更にしぼるいくつかの要件が存在したのである。すなわち、旧刑事補償法第四条によると、無罪・免訴（予審免訴）の言渡を受けたもののうち、行為が法には触れないが公序良俗に反する、という場合、また、起訴、勾留され、有罪判決あるいは刑の執行をうけたが、それは本人に故意または重大な過失行為があつたからだ、という場合には補償されないことになつていた。それでいて、受償者に交付される補償金額といえば一日五円以内ということであつたので、さすが与党からでた法案審議委員長も、衆議院本会議への報告で、

「唯最後ニ一言ヲ留メタイノハ、可決ヲセラレマシタル修正案ヲ維持致シマスル委員会ノ多数ノ者ト雖モ、決シテ本案ヲ完璧十全ノモノトシテ、満足ヲ致シテ迎ヘテ居ルノデハナイノデアリマス、有体ニ告白ヲ致シマスレバ、牧野良三君ノ御提出ニナリマシタ修正案以上ニ、個人ト致シテハ修正ヲ致シテモ見タイ点ハアルノデス（「ナゼヤラヌカ」ト叫フ者アリ）唯本案ノ如キ時代的法制ハ、全然無キニ優リマスルト同時ニ、我国ノ財政其ノ他ノ環境ノ許スニ従ウテ、漸次大成ヲ期スルト云フコトガ秩序

的進歩デアツテ、是カ国家人民ノ為ニ幸福ナリト考ヘマシタ結果、不徹底ナガラモ此修正案ニ一時忍従ヲ致シタ次第デアリマス」（司法省刑事局・刑事補償法案ニ関スル速記録一八六頁。以下、司法省刑事局・速記録と略す）。

といわざるを得なかつたし、保守的な貴族院も

「本法案ハ頗ル時宜ニ適シタルモノナリト雖モ其規定スル所不備ノ点多シ政府ハ宜シク将来是レカ補正ノ途ヲ講ゼラレンコトヲ望ム」（司法省刑事局・速記録二八九頁）。

という附帯希望をつけて可決したのである。

二　旧刑事補償法の解釈

それでは、旧刑事補償法は裁判所によつてどのように解釈、運用されたか（大審院判例の体系的評論として、小野清一郎「刑事補償法に関する大審院の判例」法学評論上四〇四頁）。まず、積極的な補償条件に関する判例からみていこう。

（一）　積極的補償条件

旧刑事補償法上、補償法律関係が成立するのは、(イ)特定の被告人に対し刑事訴訟手続が行われ、(ロ)その被告人が無罪又は予審免訴の言渡をうけ、(ハ)その裁判が確定し、(ニ)被告人が未決勾留、刑の執行又は拘置をうけたとき、である。まず、問題となつたのは、(ロ)の、受償資格は無罪又は予審免訴の言渡をうけたものに限るか、公訴棄却の場合は入らないか、であつた。

(1)　公訴棄却の裁判と補償　偽証教唆被告事件について大審院が「公訴提起ノ手続其ノ規定ニ違反スル」として公訴棄却の判決を言渡したところ、被告人は、この事件で未決勾留をうけたことを理由に、刑事補償の請求をした。この事件について大審院は

【1】「請求人カ偽証教唆被告事件ニ付昭和七年十二月二十四日当院ニ於テ公訴棄却ノ判決言渡ヲ受ケタ

ルコト請求人提出ノ判決謄本ニ依リ明瞭ナルモ刑事補償法ハ無罪又ハ免訴ノ言渡ヲ受ケタル者ニ対シ補償ヲ為ス旨規定スルニ止リ公訴棄却ノ言渡ヲ受ケタル者ニ対シ補償ノ請求ヲ為ス権利ヲ認メサルヲ以テ本件補償ノ請求ハ之ヲ認容スルニ由ナク棄却スヘキモノトス」(大判昭八・二・八刑集一二・一・三八)。

とのべて請求を棄却している。しかし、この判例だけでは、公訴提起の手続が法令に違反した、という理由にもとづく公訴棄却の裁判には補償しない、ということが判るだけで、その他の理由にもとづく場合はどうなのか、詳らかでない。例えば、被告人が死亡すると公訴棄却の言渡がなされるが、無罪の推定が強く働く場合は一体どうか。事件は非常に極端な形、すなわち、無罪判決に対して検事が上告中、共同正犯の一人が死亡し、他の被告に対する上告は棄却された(したがって無罪判決が確定)、という形で起つた。死亡した被告に対しては公訴棄却の決定がなされたが、その妻は控訴裁判所に対し、未決勾留中の補償を請求したからである。しかし、控訴裁判所が「無罪ノ判決ヲ受ケタルコトヲ理由トシテ刑事補償法ニ依ル補償ヲ請求シ得ルハ該無罪ノ判決カ確定シタル場合ナラサル可カラス」という理由で請求を棄却したので、その妻は更に大審院に抗告を申し立てた。大審院は、

【2】「按スルニ刑事補償法第一条ニ依リ無罪ノ判決ヲ受ケタルコトヲ理由トシテ勾留ニ因ル補償ヲ請求シ得ルニハ、無罪ノ判決カ確定シタル場合ナラサルヘカラス。然ルニ本件抗告人ノ配偶者ニ対スル瀆職被告事件ニ付テハ同被告人ハ第二審ニ於テ無罪ノ判決ヲ受ケタリト雖、同判決ニ対シテハ検事上告アリテ同事件大審院ニ繋属中被告人死亡シタルニ因リ公訴棄却ノ決定アリテ、無罪ノ判決確定セサリシモノトス。然ラハ原決定カ、無罪ノ判決確定前死亡ニ因ル公訴棄却ノ決定ヲ受ケタル場合ノ如キハ補償ヲ請求シ得サルモノト解シテ、抗告人ノ補償請求ヲ棄却シタルハ相当ニシテ、本件抗告ハ理由ナシ」(大判昭九・七・四刑集一三・一二・九二〇)。

として原決定を維持した。本件は、もし、被告人が死亡さえしなければ、無罪の判決が「絶対に」確定した場合である。この決定によって、たとえ実質的には無罪であっても、公訴棄却の裁判には「絶対に」補償しない、という大審院の判例が確立したといえよう。第一条の形式的解釈からすれば当然であるが、目的的に解釈して「無罪ノ言渡ヲ受ケタル」という語句を「無罪の判決が確定した場合」だけに限らず、本件のような場合をも含む、とする余地がないわけではなかった（小野・法学評論上四〇七頁）。

(2)　未決勾留に対する補償の範囲　ところで受償資格が与えられるのは、無罪又は予審免訴の言渡を受けた者のうち、未決勾留、刑の執行又は死刑執行のための拘置をうけた者に対してである。問題となったのは、補償の対象となる勾留の範囲である。

抗告人は放火罪の現行犯として逮捕され、昭和七年四月一〇日から五月一四日まで三四日間警察署で留置監禁、その後勾引状、ひきつづいて勾留状の執行をうけ、起訴された。しかし、一審、二審とも無罪の言渡をうけ、その裁判が確定したので、抗告人は控訴裁判所に対し、三四日間の警察署における留置監禁に対する補償、それ以後の勾引状、勾留状による勾留に対する補償を請求したが、いずれも「其ノ理由ナキモノ」として棄却された（後の点については【11】参照）。そこで抗告人は、警察署における留置監禁は、なるほど、勾引状又は勾留状によるものではない。しかし、現行犯として逮捕されたのだから「刑事補償法ノ勾引勾留拘置ニ相当スルモノナルコトハ毫モ疑ヲ容レサル」ものである。それであるのに補償請求を棄却したのは原決定の誤りだ、として大審院に抗告した。ところが大審院は

【3】「勾留ニ因ル刑事補償ハ勾引状執行後ノ拘禁日数ニ対シテ為サルヘキモノナルコトハ刑事補償法第

五条第一項ノ明定スル所ニシテ右勾引状執行前警察署ニ於ケル留置拘禁ニ対シテハ之カ補償ヲ許容シタル何等ノ法規ナキヲ以テ抗告人カ昭和七年四月十日ヨリ勾引状ノ執行ヲ受クル迄ノ間岐阜警察署ニ留置拘禁セラレタリトスルモ之ニ対シテハ其ノ事由ノ如何ニ拘ラス補償ヲ為スニ由ナキモノトス」（大判昭九・一二・一四刑集一三・一七二九）。

として原決定を維持した。裁判の正当化に使われた論理は、「勾留ニ因ル補償ニ於テハ勾引状又ハ勾留状執行後ノ拘禁日数ニ対シテ一日五円以内ノ補償金ヲ交付ス」（旧五Ⅰ）という規定の形式的解釈である。しかし、この論理と決定によつて、旧刑事訴訟法第一二七条の明文に反する三四日間の警察署への留置が間接的に黙認され、国家機関の違法行為の犠牲者が、適法行為に対する補償からもれる、という奇妙な結果になることに大審院は気づいていない（立法の不備は勿論であるが、第五条の解釈として、「現行犯の処分が行われた場合には遡つて其の拘禁日数に及ぶ」とすることも不可能ではなかつた。小野・法学評論上四〇八頁以下）。しかも、逮捕した被疑者を刑事訴訟法に反して警察署に長く留置するという悪風が、「全国到る処で行はれている」（小野・法学評論上四〇八頁）にかかわらず、である。

ところで、受償資格を更にしぼる第四条（消極的補償条件）の規定は、どう解釈されていつたか。

（二）　消極的補償条件　旧刑事補償法によると、積極的補償条件を充たした場合であつても、(イ)無罪又は予審免訴の理由が刑事責任能力を欠くことにあるとき、(ロ)起訴された行為が公序良俗に反し著しく非難に値するとき、(ハ)起訴、勾留、公判に付する処分、再審請求の原因又は原有罪判決の証拠が、本人の故意又は重大な過失による行為からきているとき、には補償せず、また、無罪・免訴の言渡をうけた裁判で、それと併合罪の関係にある他の罪が有罪となつたときには、補償しないことができた。(ハ)が手続法上の見地から設けられた消極的補償条件、その他は実体法上の観点からみた消極的補償条件である。

(1)　実体法上の消極的補償条件　実体法上の消極的補償条件のうち、(イ)と併合罪の他の部分が有罪だつた、ということを理由にして、請求を棄却した例は少い（第一表参照）。そのせいか、判例集には(イ)に関するものがなく、あるのは公序良俗違反と併合罪中一部有罪のものだけである。まず、公序良俗に反し著しく非難に値する、とされたのからみていこう。

第一表　請求棄却原因別表

昭和＼原因	責任無能力のため無罪免訴となつた (4, Iの1)	公序良俗に反する (4, Iの2)	本人の故意・重大な過失行為が起訴等の原因となつた (4, II)	本人の故意・重大な過失行為が起訴等の原因となつた (4, III)	併合罪の他の部分が有罪 (4, IV)
7	2	12	24		1
8		13	30	2	1
9		8	18		
10		9	58	1	1
11		13	29		
12		10	34	3	
13	4	21	23		
14	3	1	28		
15		4	21		
16		2	21	1	
17		5	7		1
18		2	11	1	
19 20	資料焼失のため不明				
21		2	1		
22	不明				
23 24	分類なし，棄却総計 4 / 13				

（注）　本表では消極的補償条件の（ハ）として説明したものを，条文にしたがつて二つに分けて記載した．

補償請求人は弁護士、事案はある選挙法違反事件で弁護人として行動中、検事から公判中弁護士に証憑偽造及び偽証教唆行為あり、として公訴提起されたが、一審二審の裁判で無罪とされ、その判決が確定したので、補償を請求した、というものである。原審である控訴裁判所は、たしかに、第一の公訴事実証憑偽造使用の点は全然犯罪の証明がないという無罪だが、第二、第三の偽証教唆は、請求人が三名の証人に対して虚偽の事実をのべるよう依頼したこと、更に証人が公判廷で偽証したことははつきりしているが、その証人の偽証の決意が請求人の依頼によつて生じたものかどうかという証明がないための無罪である。したがつて、第二、第三の点は「身苟モ弁護士ノ地位ニ在リナガラ証人ニ対シ故意ニ虚構ノ証言ヲ為スベキ旨勧誘シタルモノ」で、刑事補償法第四条第一項第二号の「公ノ秩序ニ反シ著シク非難スベキ行為」にあたる、といわなければならない、として請求を棄却した（第一の公訴事実と第二、第三の公訴事実との関係を第四条第四項のそれとみて全く補償しなかつた）。そこで、請求人は抗告したが、大審院は第四条第四項の適用を不当として（後述一三四、五頁参照）第一の公訴事実に対する補償を認めただけで、第二、第三の事実に対する補償を拒否した。

【4】「第二、第三ノ分ハ身苟モ弁護士ノ地位ニ在リナガラ証人ニ対シ故意ニ虚偽ノ証言ヲ為スベキ旨慫慂セルモノニシテ、斯ノ如キハ刑事補償法第四条第一項第二号ニ所謂公ノ秩序ニ反シ著シク非難スベキ行為ニ該当スルモノト謂フベク、従テ是等ノ分ニ付テハ補償ヲ為スベキモノニ非ズ」（大判昭七・九・二九刑集一一・一六・一三九〇）。

問題があるのは次の決定である。補償請求人は、私文書変造行使被告事件、偽証被告事件の被告人として勾留され、一審で偽証被告事件は無罪となり確定、私文書変造行使事件は一審で有罪となつたが控訴し、無罪の判決をえ、その確定をみた。そこで、控訴裁判所に対し補償の請求をしたところ、偽証被告事件については公序良俗に反するという理由で、私文書変造行使被告事件については第四条四項を援用して（この点については後述一三六頁参照）、補償請求を却下した。この決定に対し、請求人は直ちに大審院に抗告したが、大審院は偽証被告事件については原決定を維持した。その根拠としたのは、次のような事実認定及び刑事補償法第四条第一項第二号の解釈である。偽証被告事件が無罪とされたのは、たしかに宣誓の上虚偽の陳述をしてはいるが、刑事事件の証人としてではなく、民事事件の当事者本人としてであることが認められ、民事訴訟法第三三九条で過料となることはあっても、偽証罪は構成しない、と判断されたからである。したがって、たとえ、勝訴判決をうるためであっても。

【5】「民事訴訟ニ於テ苟クモ宣誓ヲ為シナガラ裁判所ニ対シ虚偽ノ陳述ヲ為スガ如キハ之ガ為ニ裁判ヲ誤ラシムル虞アル行為ナルヲ以テ、刑事補償法第四条第一項第二号ニ所謂公ノ秩序又ハ善良ノ風俗ニ反シ著シク非難スベキ場合ニ該当シ刑事補償ヲ許容スベカラザルモノト認ムベキモノトス」（大判昭九・六・一四刑集一三・一〇・八〇三）。

大審院のいうように、たしかに、たとえ民事事件でも、公判廷で虚偽の陳述をすることはよくない。だがしかし、それは「著しく」非難すべき行為であるかどうか。更に「請求人はもと民事訴訟の当事者として訊問を受けたのであつて、証人として訊問を受けたのではない。此のことは裁判所に於て顕著なる事実であるべき筈である。然るに偽証を以て之を起訴するとは何事であるか。少くとも検事に於て重大なる過失あるを免れないのである。大審院に於て此の点が全然顧みられなかつたことは甚しき失当である。」（小野・法学評論上四一二頁）。

このほか、直接この条項にあたるとして請求を棄却したものではないが、後に述べる第四条第二項にあたる事情とあいまつて請求を棄却した、とみられるものに次の判例がある。抗告人は、恐喝被告事件で勾留、起訴されたが、一、二審とも無罪の言渡をうけ、同判決は確定した。そこで控訴裁判所に補償を請求したところ、検事の面前における抗告人の自供が予審、公判に付する決定の原因になつたものである、として補償を拒否された。抗告人は即時抗告申立書を原院に提出したが、係員が受付日付印を誤捺したため、期間経過後の申立として、抗告は棄却され、上訴権回復を申し立てたが、これも不許可となつた。そこで上訴権回復不許可決定に対し更に即時抗告したところ、大審院は、前の決定を飜えし、『「上訴ノ提起期間内ニ上訴ヲ為スコト能ハサリシトキ」ト謂フハ畢竟上訴ノ提起期間内ニ適法ナル上訴ノ提起ナカリシ場合ヲ謂フモノニシテ抗告状ヲ提出シタル事実アリトスルモ之カ廃紙ニ等シキモノナリシ場合ノ如キハ法定ノ場合ニ該当スヘシ』として上訴権の回復を認め、同時に、恐喝事実の自供をしたというのは抗告人の供述趣旨を誤解したものだ、という補償請求に次のように答えた。

【6】「……曩ノ決定ハ所論ノ如ク抗告人ノ供述ノ趣旨ヲ誤解シタルモノト認メ難キノミナラス記録中ニ存スル抗告人ノ検事並ニ予審判事ニ対スル供述ニ依レハ抗告人カ鈴木梅四郎等ニ対シ為セシ言動は其レ自体公ノ秩序ニ反シ著シク非難スヘキモノニ当ルコトヲ認ムルニ足リ又抗告人ニ於テ検事竝ニ予審判事ニ対シ之ヲ肯定シタルカ如キ趣旨ヲ自供セルカ如キハ抗告人ニ於テ勾留、起訴、及公判ニ付セラルルニ至リタルモノト謂フヘク斯ル場合ハ刑事補償ヲ為ス場合ニ当ラサルコト刑事補償法第四条ノ解釈上疑ナキ所ナリトス」（大判昭一五・八・八刑集一九・一五・五二〇）。

これ又検事が少し注意深く調べたなら、という事例である。何項何号にあたるといわず、第四条としたところに、裁判所の苦心が覗える。それでは、併合罪中一部無罪の場合の取扱いはどうか。前に事実関係を説明した【4】と【5】の決定は、この点についてもふれている。

証憑偽造と偽証教唆の併合罪で起訴され、いずれも無罪となつたので補償を請求した事件につき、原審である控訴裁判所は、偽証教唆の点は公序良俗に反し著しく非難すべきものとして請求を認めず、

証憑偽造の点の補償に第四条四項を適用した。曰く

【7】「以上ノ如ク併合罪ノ全部ニ対シ無罪ノ判決アリタルモ、其ノ一部ニ付補償請求権ノ成立ヲ阻却スル事由アリ、他ノ部分ニ付其ノ事由存セサルトキハ、同法第四条第四項ノ規定ヲ適用又ハ準用スルノ余地ナキカ如シ。然レトモ仔細ニ考察スルトキハ、無罪ノ判決ヲ為シタルモ同条第一項ノ事由アル場合ト有罪ノ判決ヲ為シタル場合トハ共ニ均シク補償ヲ給与セス。即此一点ニ於テハ両者全ク軌ヲ一ニスルヲ以ツテ、他ノ法律関係ハ暫ク措キ、刑事補償ノ問題ニ関スル限リ、両者ハ法律上同等ノ価値ヲ有スルモノト謂フヘク、其ノ処理ニハ彼此取扱ヲ異ニスヘキモノニアラサルナリ。然ラハ同条第四項ノ法文ハ通常ノ事例ヲ示シタルニ止リ、法ノ精神ハ併合罪ノ一部ニ付補償請求権ノ成立ヲ妨クル事由存在シ、他ノ部分ニ付此ノ如キ事由存在セサル場合ニハ、補償ヲ為スト否トヲ裁判所ノ適当ナル裁量ニ任シタルモノト解スルヲ妥当トス。然リ而シテ本件起訴ニ係ル三箇ノ併合罪中二個ニ付同条第一項第二号ノ事由アル点、及偽証教唆事件ハ証憑偽造使用事件ニ比シ遙ニ重キ事件ナル点等ヲ参酌シ、同法第四条第四項ニ従ヒ、補償ヲ為ササルヲ相当ト認ム」（大判昭七・九・二九刑集一一・一六・一三九〇）。

第四条第四項の「一個ノ裁判ニ依リ併合罪ノ一部ニ付無罪又ハ免訴ノ言渡ヲ受クルモ他ノ部分ニ付有罪ノ言渡ヲ受クル者ニ対シテハ補償ヲ為ササルコトヲ得」という規定を、素直に読めば、これが併合罪中一部は無罪だが他の部分は有罪、という場合の規定で、全部無罪になつた場合を含まないことは明らかである。それにも拘らず、実質的考察を行つて（小野・法学評論上四一八頁は「併合罪の一部に付て無罪が言渡され、而して他の一部に付ては有罪を言渡された場合と、ひとしく無罪を言渡されたが、一部につき補償請求権を阻却する原因ある場合とは補償関係に於てその軌を一にするという其の決定理由は正しいのである」としているが疑問がある）、わざわざ補償を拒否するのは、第一条について形式的解釈を行つてきた裁判所に似合わない。したがつて、抗告に対し、この点の原決定を取

消した大審院の次の決定は正当である。

【8】「第二第三ノ分ハ……刑事補償法第四条第一項第二号ニ所謂公ノ秩序ニ反シ著シク非難スヘキ行為ニ該当スルモノト謂フヘク従テ是等ノ分ニ付テハ補償ヲ為スヘキモノニ非ス。唯第一ノ分ハ同法第四条第一項乃至第三項ニ該当セサルハ勿論、同第四項ノ規定ハ本件ノ如キ全部無罪ノ言渡ヲ為シタル場合ニ関スルモノニ非サルヲ以テ、此ノ分ニ付テハ補償ヲ為スヘキモノトス」（大判昭七・九・二九刑集一一・一六・一三九〇）。

しかし、第四条第四項に対する大審院の解釈は【8】の態度で貫かれていない。それを示すのが次の決定である。事案は【5】でのべたとうり、私文書変造行使と偽証との併合罪、いずれも無罪とされたので、補償を請求したところ、偽証の点は公序良俗に反し著しく非難に値する、という理由で拒否、私文書変造行使についても補償請求を認めなかった（原審、大審院とも）。曰く

【9】「本件刑事補償請求ノ理由ノ存否ニ付按スルニ、抗告人ニ対スル前示未決勾留処分ハ右第二審ノ確定判決ニ依リ無罪ト為リタル私文書変造行使被告事件及第一審ノ確定判決ニ依リ無罪ト為リタル偽証被告事件ニ付不可分ノ関係ニ於テ行ハレタルモノナルヲ以テ、右孰レカノ事件ニ付本件補償請求カ阻却セラルヘキ事由ノ存スルニ於テハ之ヲ許容スルヲ得サルモノト解スヘキモノトス」（大判昭九・六・一一刑集一三・一〇・八〇三）。

ここでもし、第四条第四項が大審院の念頭にあつたなら、【8】で示された論理にしたがつて、私文書変造行使については補償を認めなければならない筈である。第四条第四項が、もし念頭になかつたのなら（本件は一個の裁判で併合罪の全部が無罪とされたのではない、ことを理由に）、補償請求を認めるかどうかは、それぞれ判決事実ごとに判断されることになるから、これ又私文書変造行使についての補償を認めない訳にはいかない。大審院はそのいずれをも採らず、【8】と全く矛盾した第四条第四項

の解釈を行ったわけである（小野・法学評論上四一九頁も批判）。

(2)　手続法上の消極的補償条件　ところで、法案審議の際一番問題となったのは「本人ノ故意又ハ重大ナル過失ニ因ル行為カ起訴勾留公判ニ付スル処分又ハ再審請求ノ原因トナリタルトキハ第一条第一項ノ補償ヲ為サズ」「本人ノ故意又ハ重大ナル過失ニ因ル行為カ原有罪判決ノ憑拠ト為リタルトキハ第一条第二項ノ補償ヲ為サス」の規定であった。特に「重大ナル過失ニ因ル行為」とは何か、が烈しく論じられ、政友会はその部分の削除を強く要求した（牧野良三は、政友会の提出した修正案の趣旨説明で、この点につき「次ニ又本人ノ故意又ハ重大ナル過失が起訴勾留其他ノ原因トナツタトキニハ、同ジク補償シナイトアリマスガ、是モ甚ダ奇怪ナル条文デアリマス、既ニ被害者本人ニ重大ナル過失ガアツテ、ソレガ原因トナツテ訴追ヲ受ケルト云フ場合ニ於テ、其重大ナル過失ヲ発見スルコトハ正ニ検察当局、裁判当局ノ重大ナル責任デアルト思フ、自ラ其責任ヲ軽ンジテ其重大ナル過失ヲ見逃シテ置キナガラ、後カラ其重大ナル過失ヲ発見スルヤ、之ヲ被害者本人ノ責ニ帰セントスルガ如キハ、洵ニ厚顔無恥ノ立法ト言ハナケレバナリマセヌ」とのべている。速記録一七二頁）。懸念されたのは、強制拷問によって自白した場合、あとで「自ラ斯ウ云フ場合ニ自白ヲ致シテ居ル、之ヲ一ツ踏張レバ宜カッタデハナイカ、ダカラオ前ノ過失デアル」（議会での質問速記録六八頁）といわれて、補償を拒否されることであった。裁判所の運用は、この不安を裏書している（第一表参照）。判例集に収録された、この点に関する判断の第一は、恐喝被告事件が無罪となったことを理由とする補償請求事件である。大審院は、抗告人が被疑者のとき、検事の取調に対して語ったことが恐喝事実の自白にあたる、と認定した上、補償請求を却下した原審の決定は正当である、として抗告を棄却した。その決定の根拠としたのが第四条第二項の規定である。

【10】「然リ而シテ被疑者カ検事ノ取調ニ対シ犯罪事実ヲ自白シタル場合縦シヤ後日無罪ノ確定判決ヲ受ケ其ノ自白カ真実ニ合致セサルニ至リタルトキト雖当該検事ノ取調ニシテ拷問又ハ誘導訊問等ノ不法非違ニ

出テタルモノニ非サル限リ被疑者ハ結局任意ニ虚偽ノ自白ヲ為シタルモノト認ムヘク苟モ斯クノ如ク被疑者カ任意ニ虚偽ノ自白ヲ為シタル事実存在シ而モ其ノ自白ヲ為スニ於テハ勾留又ハ起訴等ノ処分ヲ惹起スヘキ当然ノ原因ヲ生スルニ至ルヘキコトヲ被疑者ニ於テ認識シ得ヘキ場合ニ在リテハ被疑者ノ重大ナル過失ニ因ル行為カ此等ノ処分ノ原因ト為リタルモノト解スルヲ相当ナリトス」（大判昭七・八・八刑集一一・一五・一一九一）。

大審院のいうとおり、もし、自白が任意になされたのなら、たとえ故意はなくても、「被疑者ノ重大ナル過失ニ因ル行為カ此等ノ処分ノ原因ト為リタルモノ」と解してよかろう。問題は、しかし、自白が任意になされたかどうか、又何によってその任意性を判断するか、にある。「当該検事ノ取調ニシテ拷問又ハ誘導訊問等ノ不法非違ニ出テタルモノニ非サル限リ被疑者ハ結局任意ニ虚偽ノ自白ヲ為シタルモノ」という論理は、論理としては誤っていないが、「不法非違ニ出テタルモノ」ということを誰が立証するのか、を考えると、頗る問題の多い表現であった。取調が第三者のいない密室で行われている以上、取調が不法非違にでたものという証明は、本人の身体に拷問の痕跡が残っていない場合には、本人の訴え以外にはない。しかし、官憲の拷問が議会で問題とされ（例えば、この法案審議の際も、小俣委員は「今一松君ノ御質問ニナッタヤウナ事実ガ、政府委員ノ御解釈デハ絶無トハ言ハヌガ非常ニ稀ダト言ハレテ居リマスガ、放火犯ニ限ラズ、選挙違反ニ限ラズ、警察ニ検挙サレテ警察官ガ殴打シ、靴デ蹴飛バシ、サウシテ自白ヲ強要スル、何トカシテ罪人ヲ拵ヘナケレバ警察ノ面目ガ立タナイ、放火犯人ガ挙ラヌ、選挙違反ノ犯人ガ挙ラヌト云フ場合ニ、随分乱暴狼籍ヲ働イテ、自白ヲ強要スルコトガ屡々アルノデス、是ハノベツ幕ナシニアル、若シ其実例ヲ言ヘト云ヘバ、ドノ警察デドウ云フコトヲヤッタト云フ実例ハ無数持ッテ居ル、私ノ「ノート」ヲ持ッテ来レバ何百モ載ッテ居ル」とのべている。速記録七三頁）、世間一般に流布されているのに、裁判所は殆んど拷問をうけた、という訴を取り上げていない。例えば、前にあげた【3】もそうである。本項を適用して勾引状、勾留状による勾留に対する補償請求を棄却した原決定に対し、抗告人が「当時警察官カ妻ヤ子供ノ釈放ヲ対照トシテ自白ヲ強調サレタル事実ハ本案請求書中ニ援用シ置キタル各調書記載ノ如ク本件記録ヲ通読セハ何人モ直チニ此ノ感ヲ深クスルニ足ルヘシ」「原審カ請求人任意ノ自白ナリト認定セシ最初ノ供述ヲ記載セル聴取書ハ昭和七年四月十二日ノ午後十一時半頃ヨリ陳述シ翌十三日ノ午前一、二時作成サレタル為メ十三日附ノ聴取書トナリ居ル事実ハ本件記録中ノ第二審公判廷ニ於ケル証人野口豊七（此ノ聴取書ヲ作成シタル当時ノ警部補）ノ供述記載ニ依リ明ナリ、斯カル深夜ニ取調フルコト夫レ自体適法ナリヤ斯カル場合ニ被取調者ハ何等ノ圧迫ヲ感セスト断言シ得ルヤ」というように、具体的な例をあげて大審院に迫っているのに、大審院は

【11】「抗告人ノ右自白カ他ノ強制、威逼ニ基因スルモノナルコトヲ認ムルニ足ルヘキ証拠ナキヲ以テ右抗告人ニ対スル放火事件ハ抗告人ノ重大ナル過失ニ依ル行為カ起訴ノ原因トナリタルモノト認メサルヲ得ス」（大判昭九・一二・一四刑集一三・二二・一七二九）。

とのべるばかりである（小野・法学評論上四一五頁も批判）。

こういう現実に目をそむける態度が昂ずると、取調にあたつた官憲がその事件と関係の深い事件の取調で職権濫用罪に問われ、有罪とされたのに、それでもなお自白は任意になされたのだ、判事を検事と間違えること自体が重大な過失だ、という次のような決定が生れてくる。事件は、昭和九年川崎市で起つた土木課の収賄贈賄事件、警察検察当局の取調に対して抗告人たちは自白したが、審理の結果無罪となつた。そこで勾留中の補償を請求したところ、「請求人ハ右係検事立会ニテ司法警察官ヨリ警察ニテ拷問審問セラレ拷問審理ノ自白強要ニ対スル恐怖ノ為メ正当ナル利害ヲ判断スル精神ヲ失

ヒ取調官ノ誘導訊問ヲ易々諾々トシテ認メタルモノニシテ無意識的追随ノ陳述ナル旨主張スレトモ予審判事カ請求人ノ自白ヲ強要誘導シタリトノ事実ハ之ヲ認ムルノ証拠ナキノミナラス前記検事ノ各聴取書予審判事ノ訊問調書ノ記載内容ニ鑑ミレハ右請求人ノ各陳述ハ孰レモ請求人ノ任意ノ陳述ト認ムル外ナク右認定ヲ覆シ前示請求人ノ主張ヲ容認スルニ足ル証憑ナク其他請求人主張ノ右ハ刑事補償法第四条ニ所謂重大ナル過失ニ該当セサル旨ノ主張ヲ容認スル証憑ナキヲ以テ右請求人ノ主張ハ孰レモ之ヲ採用セス」として請求を棄却された。この決定に対し、抗告人はまず「本件請求許否ノ争点ハ本件請求人取調ニ際シ司法警察官、検事、予審判事ニ拷問、誘導訊問ノ事実アリシヤ否ヤノ点ニ存ス本件請求人取調ニ際シ司法警察官、検事ニ於テ拷問、誘導訊問ノ事実存シタルコトハ敢テ立証ヲ俟ツ迄モナク公知ノ事実ナリ即チ当時ノ横浜地方裁判所検事正M氏竝ニ本件取調ニ当リタル横浜地方裁判所検事T氏は孰レモ本件及所謂横浜事件ノ責ヲ負ヒ退職セラレタルコトハ吾人ノ記憶ニ未タ新ナルトコロナリ更ニ当時請求人等ヲ取調ヘタル司法警察官モ各々行政処分ニ附サレタルコトモ亦顕著ナル事実ナリ昭和十二年二月二十二日ノ第一審公判ニ於テ(所謂横浜事件)K立会検事ハ請求人等ノ川崎市関係及県市関係ノ疑獄取調ニ当リ不当苛酷ノ取調アリ遺憾ノ意ヲ表明セラレ拷問ノ事実ヲ認メラレタリ」と述べた上とこまかに拷問の事実を指摘し、ついで、なぜ予審判事の前で自白を認めたか、につき、「刑事ニ拷問ニ会ツタ直ク後チ検事サンカ寿署ニ出張取調ヲ為サレタノテスカ検事サント云フ事ハ一ツモ知リマセンテシタ又新手ノ刑事カ来テ再訊問スルノカト思ヒ愈々恐シクナリ前ニ言ツタ様ニ成ルヘク差異ヲ来タサヌ様努メテ申シマシタ処カ後テ検事局ニ送ラレテ始メテ二度目ノ方ハ検事サン達テアルコトヲ知ツテ驚キマシタカモウ既ニ遅カツタノテス刑事ニ拷問ニ会ツタ為メ又トンナ目ニ逢ハサルルノカト思ヒ検事サント知ラス拷問カ怖シサニ貰ツタト嘘ノ申立ヲシマシタト何程申シマシテモ駄目テシタ……第一回検事取調カ終ツテ直ク判事サンニ呼ハレタ時「事実無根テスカ四人ノ刑事ニ拷問ニ合ハサレマシテ苦シ紛レニ出鱈目ヲ言ツタノテス又十二月三十日ヨリ外ニ加瀬ノ家ヲ尋ネタ事ハ絶対ニアリマセン」ト申シマシタラ又直ク検事サンノ所ヘ戻サレマシタ検事サンノ調カ終ツテ予審ニ廻サレタ時ハモウ欲モ得モナク夫レニ予審ニ廻ル前日検事サンヨリ「百円ト二百円ノ事ハ予審テ貰ツタト言ヘ」ト念ヲ押サレマシタカラ否定シタラ何時マテ置カルルカ判ラナイ一日モ早ク子供ノ産レナイ前ニ出所シ度イ一念カラ完全ニ諦メテ居リマシタカラ簡単ニ認メテ仕舞ヒマシタ」とのべて大審院に原決定の取消を求めた。ところが大審院は

【12】「本件ノ基本タル瀆職事件ニ付テハ恰モ人権蹂躪的行動ノ行ハレタルカ如キ巷評アリ其事ナシトスルモ斯ル巷評アルコトハ検察権ノ為ニ真ニ遺憾ノ極ナリト雖モ世ニハ往々人権蹂躪ノ叫ハルル場合ニ其実ニ過キテ其声ノ大ナルモノアリ世人モ亦之ニ同情スルノ余リ層一層其声ノ大ナルニ至ルモノアリ甚シキニ至リテハ其然ラサルモノニ至ル迄之ニ便乗シテ自己ノ罪責ヲ免レントスルモノアリ」

として取調の不法を認めず、更に

「而シテ予審判事ノ職タルヤ其以前ニ於テ仮令如何ナル不任意的供述ヲ為ササルヘカラサル地位ニ置カレタルモノト雖モ一度其ノ前ニ立ツモノニ対シテハ公平冷静ニ被疑者、被告人ノ利益、不利益ニ関スル証拠ヲ蒐集シ以テ証拠ノ基本的確実ヲ保障スルニ在ルヲ以テ其ノ使命ヲ知リテ充分ニ弁護権ノ擁護ニ努ムヘキハ被疑者被告人ノ立場ナルヲ以テ仮ニ予審判事ヲ以テ捜査官ト誤認シ又ハ其延長ナルカ如ク曲解スルコトアリト

スレハ夫レ自身既ニ重大ナル過失アリト云ハサルヘカラス」

という考え方に立って

「予審判事ノ訊問ニ対シテ猶従前ノ供述ヲ繰返スニ於テハ固ヨリ自由任意ノ供述トシテ勾留ノ原由タルコトモ往々避クヘカラサル処ナリトス若シ夫レ予審判事ノ訊問ニ対シテ他力ノ介入セリト云フカ如キハ在リ得ヘカラサルコトニシテ軽々ニ論断スヘキモノニアラス本件ノ基本タル瀆職事件ニ於テモ之ヲ認ムルヲ得サル所ナリトス既ニ之ヲ認ムヘキニアラス而シテ予審ノ供述ニシテ肯定的ナルコトニ於テハ其供述ニシテ後日ニ至リテ其真実ニアラサルコト明ナルニ至リシコトアリトスルモ其供述ニ基ツク勾留ハ被告人ノ重大ナル過失ニ因ルモノト謂ハサルヲ得ス」（大判昭一五・一二・一九 刑集一九・八二四）。

として原決定を維持したのである。論評をこえた驚くべき判決といえよう（これは立法者の予想するところでもなかった。法案審議の際、一松定吉の「放火事件等ノ場合ニ、警察官ナドハ無理ニ証拠ヲ挙ゲヨウトシテ、被疑者ニ向ツテ拷問若クハ拷問的ノ威嚇ヲ加エテ取調ヲスルト云フコトガ往々ニシテアル、ソコデ已ムナク其拷問ニ堪ヘ切レズ……不実ノ自白ヲスル、サウスルト今度ハ其場所デ机モ椅子モ、其他総テ室内ヲ其儘ニ、警察官ト検事ガ入交ツテ調ベル、其折ニ本当ノ供述ヲシヨウト思フケレドモ、其処ニハ今自分ヲ拷問ニ遭ハセ、威迫ヲ加ヘタ警察官ガ番ヲシテ居ル、検事ハ威迫モ何モシナイケレドモ、今マデヤツタ警察官ガ居ル為ニ、ヤハリ不本意ノ供述ヲシナケレバ勾留サレテ帰サレヌト云フ虞レガアル為ニ、又サウ云フ供述ヲスル、サウスルト今度ハ検事ト予審判事ガ入交ツテヤル、ソレガ、二回、三回ト予審廷デ調ベラレルト、アレハ嘘デシタト云フコトガ往々ニシテアルノデス、サウシテ一審、二審、大審院ニ行ツテ慎重裁判ノ結果無罪ニナル……サウ云ウ場合ニ、今ノ政府委員ノ御説明ニ依ルト、ソレハ重大ナル過失デアルトシテ補償シナイ精神デアルヤナニ承リマシタガ、ソレハ間違ツテ居リハシナイカ」、という質問に対し、泉二政府委員は「其点ハ御聴違デナイカト思イマス……サウ云フ場合ガアツタトスレバ、ソレハ本人ノ過失ニ依ル行為トハ認メラレナイノデアリマス、即チサウ云フ場合ハ補償ヲ与ヘルノガ此法律ノ精神デアリマス」と答えているからである。速記録七二、七三頁）。

ところで、「重大ナル過失」にあたるとされたのは、裁判所のいわゆる「任意」の自白がある場合だけではない。取調の際、正当防衛にあたる事実をのべなかったのも、これに該当するとされた。事案は傷害被告事件、請求人は二審で無罪の言渡をうけ（一審は有罪）、これに対する検事上告も「犯罪ノ証明ナキモノトシテ無罪ノ判決」という結果に終った、そこで大審院に未決勾留による補償を請求したとこ

ろ、

【13】「請求人ハ検事ニ対シ単ニ任意犯罪事実ヲ自供スルニ過キサルノミナラス第一審勾留訊問ニ於テモ判事ニ対シ犯罪事実ヲ自認セルニ止リ正当防衛ノ事実ヲ主張セサリシコト明瞭ニシテ右ハ即本人ノ故意又ハ重大ナル過失ニ因ル行為カ起訴勾留ノ原由ト為リタルモノニ外ナラサルヲ以テ本件請求人ニ対シテハ刑事補償法第四条第二項ニ依リ刑事補償ヲ為スヘカラス」（大判昭一二・五・二九刑集一六・一二・八九三）。

として請求を棄却しているからである。大体、一人の人間を逮捕し、勾留し、起訴するには、被告人の自供の有無に拘らず、事実関係を詳細に調査するのが、検察官の職責であろう。それであるのに、傷害事件で正当防衛の事実があるかないかを調べもしないで起訴するのは、検察官に「重大ナル過失」がないといえるであろうか。第四条第二項は、警察検察の捜査のミスを、カバーする役割を果していたのである。前にあげた昭和九年一二月一四日の裁判【11 3】では、弁護人が、勾引状勾留状執行前の抗告人の自白が起訴の理由となつたのではなく、検察官の不注意がその原因であつた、と鋭く追求している。曰く「其ノ勾引状勾留状ノ執行前ニ被告カ任意ノ自白ヲ為シ居ルヲ以テ検事ノ起訴ハ当然ノ処置ナリシカ如ク認定セルモ其ノ検事ノ予審請求前ニ請求人ノ警察ニ於ケル自白ノ真実ニアラサルコトヲ詳細供述セルモノナルヲ以テ検事ニ於テ相当ノ考慮ヲ払ハレタランニハ斯カル失態ヲ生セサリシモノナ（リ）」。請求人のこういう声が全く聞かれず、検察官の声ばかり聞かれた一つの原因が、補償の決定は検察官の意見をきいて行う、という制度にあつたことはいうまでもない。

（三）　補償金額　　それでは、こういう狭い門をくぐつて補償される金額は、一体いくら位であつたか。法案審議の際、政府は本法施行後必要とされる経費の見積りを資料として提出したが、その説明において泉二政府委員は、政府の予想する一日平均補償金額について次のようにのべた。

「法律ハ五円以内トナッテ居リマスケレドモ、大体平均ニスレバ先ヅ四円見当位ニハヤラナケレバナラナイ」（速記録九一頁）。

予想がどんなに食い違つたかを、旧刑事補償法施行以来の、一人一日あたりの補償金額を示す上記の表が、はっきり示してくれる（戦後の金額は、インフレ中のものであることに注意する必要がある）。

第二表　旧刑事補償法の実績
（一人一日あたり補償金額表）

事項／昭和	無罪人員	補償請求事件終局件数	補償決定件数	請求棄却件数	一人一日あたり補償金額(円)
7	340	82(1)	37	45(1)	2.04
8	210	93(1)	33	60(1)	2.08
9	375	56(1)	26	30(1)	1.90
10	419	105(1)	32	73(1)	1.97
11	552	78(2)	31	47(2)	2.51
12	444	78(2)	28	50(2)	2.34
13	458	192(2)	137	55(2)	2.83
14	232	67(1)	23	44(1)	2.84
15	299	198	166	32	0.314(?)
16	277	37(3)	8	29(3)	2.05
17	263	16	3	13	2.41
18	256	33(3)	13	20(6)	2.46
19	資料焼失のため不明				
20					
21	282	4	1	3	5.00
22	945	不明			
23	2386	10	6	4	5.00
24	2962	42(9)	20	22(9)	5.00

（注）①　無罪人員中，昭和18年までは免訴，刑の免除を含む。
②　(　)内は請求取消件数。
③　昭和15年の補償金額は集計上の誤りではないかと思われる。

（四）　補償手続　補償の請求は、無罪又は免訴の裁判確定の日から六〇日以内にしなくてはならない（九条）。これに関する判例が一つある。請求人は、機船底曳網漁業取締規則違反として区裁で罰金百円、追徴金二四円九二銭を言渡され、右略式命令は確定した（証拠品として領置中の鯛網は没収）。しかし、罰金が払えなかったので、命令に従い一〇〇日間労役場に留置され、鯛網は没収された。ところがその後、検事総長から非常上告がなされ、大審院は昭和八年七月六日原略式命令を破棄し、無罪を言渡した。そこで請求人は同年九月二八日（六〇日を経過している）、「右労役場留置ニ対スル補償及没収処分ニ因リ得タル代金ニ相当スル金額ノ還付」を求めたところ、

【14】「補償ノ請求ハ無罪又ハ免訴ノ裁判確定ノ日ヨリ六十日間ニ之ヲ為スコトヲ要スルコト刑事補償法第九条ノ明定スルトコロニシテ右ニ所謂裁判ノ中ニハ非常上告ニ基キ為サレタル裁判ヲ除外スルコトナケレバ右ノ規定ハ本件ニ於ケルカ如キ非常上告ニ基キ原判決ヲ破毀シ被告事件ニ付更ニ為シタル裁判ニ付テモ其ノ適用アルモノト解スルノ外ナク従テ斯ル裁判ニ付テモ其ノ確定後六十日内ニ補償ノ請求ヲ為スコトヲ要スルモノト謂ハサルヘカラス」（大判昭八・一〇・二三刑集一二・一八七九）。

と判示して請求を棄却した。当然のことといいながら気の毒な事案である。

補償の請求は、無罪又は免訴の裁判をした裁判所に対してなされる（六条）。補償の請求をうけた裁判所は、検事の意見をきいて、請求につき決定しなければならない（一〇条）。決定は送達されるが、その決定の送達方法につき次の判例がある。昭和七年五月二一日補償請求を棄却した決定の謄本を、裁判所書記が請求代理人に手渡したところ、請求代理人は同年五月二五日、送達の手続に誤りがあるという理由で、大審院に即時抗告した。大審院は

【15】「刑事補償法第十条第一項第十八条刑事訴訟法第八十条民事訴訟法第百六十三条ニ依レハ刑事補償請求事件ニ関スル裁判所ノ決定ハ当該事件ニ付出頭シタル者ニ対シ裁判所書記自ラ送達ヲ為スコトヲ得ヘク本件記録中札幌地方裁判所裁判所書記作成ノ送達報告書ニ依レハ昭和七年五月二十一日決定謄本ヲ請求人代

理人笹沼孝蔵ニ対シ同庁書記課ニ於テ送達ヲ為シ笹沼孝蔵ニ於テ之ヲ受領シタル旨ノ記載アリテ請求代理人タル笹沼孝蔵ハ本件ニ付出頭シ自ラ原決定謄本ノ送達ヲ受ケタルモノト認ムヘキヲ以テ原決定ハ適法ノ送達アリタルモノニシテ該送達アリタル以上ハ刑事訴訟法第七十五条以下ノ手続ヲ履践スルヲ要セサルカ故ニ刑事補償法第十一条第二項第十八条刑事訴訟法第四百五十九条ノ即時抗告ノ期間ハ其ノ翌日ヨリ進行シ同月二十四日ヲ以テ満了スヘキモノトス然ルニ札幌地方裁判所ノ受付印ニハ本件抗告状ハ同月二十五日受付ケタル旨ノ記載アリ期間経過後ノ抗告ニ係ルヲ以テ不適法ナリトス」(大判昭七・六・一六刑集一一・一一・八六三)。

として抗告を棄却した。正当である。

補償請求に対する決定には即時抗告が認められる(一一条)。ところで、即時抗告を棄却する決定には再抗告ができるか。この点について二つの判例があるが、いずれも再抗告を認めていない。

【16】「刑事補償法第十八条刑事訴訟法第四百六十九条ニ依レハ刑事補償請求棄却ニ対スル抗告棄却ノ決定ニ対シテハ更ニ抗告ヲ為スコトヲ得サル所ナルヲ以テ検事松井和義ノ意見ヲ聴キ刑事訴訟法第四百六十六条第一項ニ則リ主文ノ如ク決定スル」(大判昭八・九・六刑集一二・一七・一五五九)。

【17】「刑事補償法第十一条第二項ニハ補償ノ請求ヲ棄却スル決定ニ対シテハ即時抗告ヲ為スコトヲ得ル旨規定シ同法ニハ其ノ第十八条ニ同法ノ決定及之ニ対スル即時抗告ニ付テハ別段ノ規定アル場合ヲ除クノ外刑事訴訟法ヲ準用スル旨ノ規定アルニ止マリ補償ノ請求棄却ノ決定ニ対スル再抗告ニ付別段ノ規定ヲ為ササルヲ以テ該抗告ノ法律上許スヘキモノナルヤ否ニ付テハ刑事訴訟法ノ規定ニ依リ之ヲ決セサルヘカラス然ルニ同法第四百六十九条ニ依レハ抗告裁判所ノ決定ニ対シテハ抗告ヲ為スコトヲ得サルヲ原則トシ唯同条第一号乃至第六号ニ掲クル抗告ニ付テノ決定ニ対シテノミ即時抗告ヲ為シ得ルモノト為セリ而シテ補償ノ請求棄却ノ決定ニ対スル抗告ノ如キハ右列記ノ孰レカノ場合ニ準スヘキモノト認メ得ラレサルヲ以テ該抗告棄却ノ

決定ニ対シテハ更ニ抗告ヲ為スコトヲ得サルハ明ナリトス」(大判昭九・一・二三 刑集一三・一・六)。

なお、刑事補償請求棄却決定に対し即時抗告をしたところ、係官が受付日付印を誤捺したため、期間経過後の抗告として棄却された事件につき、上訴権回復を請求し、二度目に認められたものがある(前掲【6】の判例参照)。

三　新刑事補償法

一　新刑事補償法の成立

成立のときすでに、補正を強く望まれた旧刑事補償法も、二〇年近くそのままにおかれた。そして戦後のインフレ期にも、罰金額は引上げられたが、補償金額一日五円は変らなかつた。しかし、その欠陥は明らかだつたので、新憲法審議の際、その第四〇条に「何人も、抑留又は拘禁された後、無罪の裁判を受けたときは、法律の定めるところにより、国にその補償を求めることができる」という規定が挿入された。そこで政府は昭和二三年、刑事補償法の改正から新法案の提出へと踏切り、第四回国会で一旦審理未了となつたのち、その一部を訂正して翌二四年の第六回国会に提出した。新しい法案における刑事補償の性格について、法務総裁殖田俊吉は、次のようにのべている。

「本案においては、刑事補償はそれが損害の塡補である点において国家賠償とその本質を同じくするものといたしました。従つて刑事補償が国家賠償と異るのは、国家機関の故意又は過失を補償の要件としないことと及び補償の額が定型化されていることの二点にとどまるのであります」(横井大三・新刑事補償法大意二〇頁)

大意と略す）。〔以下、横井・〕

刑事補償が、始めて、恵みではなく権利となつた。補償原因もこれまでの「刑事訴訟法上の未決勾留及び刑の執行」から、「刑事手続上のすべての抑留及び拘禁、刑の執行並びにこれに伴う抑留及び拘禁、少年法及び経済調査庁法の抑留及び拘禁」にまで拡張されている。たくさんあつた補償拒否の理由も整理され、「本人が捜査又は審判を誤らせる目的で虚偽の自白をし、または他の有罪の証拠を作為することにより、起訴、未決の抑留若しくは拘禁又は有罪の判決を受けるに至つたものと認められる場合」と「一個の裁判によつて併合罪の一部について無罪の裁判を受けても、他の部分について有罪の裁判を受けた場合」の二つになつた。しかも、この場合絶対に補償しない、というのではない。「裁判所の健全な裁量により、補償の一部又は全部をしないことができる」、つまり、補償するのが原則だが補償しないこともできる、というのである。法案審議中、免訴又は公訴棄却の裁判をうけたものにも、条件づきで、補償請求権を与えてはどうか、という問題がでた。政府は「免訴或いは公訴棄却の場合ははつきり無罪とまでは確定いたさない場合でありまして、やはり本人に責任があるかも知れないというような場合でありますからして、同様にその場合にまで刑事補償をするということは憲法四十条から直ちに出て来ないのみならず政策としてもそこまで徹底いたしますのは如何なものであろうか、こういうふうに考えました次第であります」（横井・大意一六九頁）。という態度をとつたが、衆議院は憲法の精神を一歩押し進め、「刑事訴訟法の規定による免訴又は公訴棄却の裁判を受けた者は、もし免訴又は公訴棄却の裁判をすべき事由がなかつたならば無罪の裁判を受けるべきものと認められる充分な事由があるときは、国に対して、抑留若しくは拘置による補償を請求することができる」という規定を第二五条に挿入した。新刑事補償法の前進は、いうまでもない。こうして昭和二四年一二月二日法案は国会を通過し、翌年一月一日から施行された（実体的に無罪のときには、たとえ、免訴又は公訴棄却の裁判のときでも補償する、という考えを貫くと、不起訴処分にした場合にも蒙つた損害の補償をしなければおかしくなる。そこで昭和三三年四月、刑事補償規程が法務省からだされ、不起訴処分になつたが実体的に無罪の場合には、一日四百円以内の補償をうけることができることになつた。大きな進歩である）。

二　新刑事補償法の解釈

ところで、新刑事補償法は、どう運用されているか（新刑事補償法の運用状況にふれたものとして、平野竜一「刑事補償の実態」法律時報二五巻九号、横山晃一郎「刑事補償」法律時報三一巻一二号）。これを、積極的な補償条件に関する判例からみていこう。

（一）　積極的補償条件　新刑事補償法上、刑事補償の請求ができるのは次の三つの場合である。(イ)無罪の裁判を受けた者で、刑訴法、少年法、経済調査庁法によつて未決の抑留又は拘禁を受けたもの（法一Ⅰ）(ロ)上訴権回復による上訴、再審又は非常上告手続で無罪の裁判を受けたが、すでに刑の執行又は死刑執行のための拘置を受けたもの（法一Ⅱ）(ハ)免訴又は公訴棄却の裁判を受けた者で、未決の抑留又は拘禁を受け、もし免訴又は公訴棄却の裁判を受ける事由がなかつたら、無罪の裁判を受ける充分な理由のあるもの（法二五）。しかし、次頁**第三表**で見るとおり、刑の執行による補償を受けた者の数は極めて少い（昭和三四年末までで一二名）。そのためか、(ロ)に関する判例で、判例集にのせられたものがない（昭和二七年二月末現在発行の判例集）。したがつて、ここでは(イ)と(ハ)に関する判例の分析にとどまる。

(1)　刑事補償法第一条第一項の問題　第一項で、まず問題となるのは、無罪を言渡された事実と未決の抑留、拘禁との関係である。文理上からすれば、無罪を言渡された事実と抑留、拘禁の理由となつた事実とは、同一事実であることが予想される。ところで問題となるのは、A事実で勾留されたがB事実の取調を受け、B事実が起訴され無罪となつたという場合である。この場合果して刑事補償の請求が、第一条第一項でできるのかどうか。

第三表　新刑事補償法の運用状況

事項／昭和	通常第一審無罪人員	補償請求事件終局件数（（）内は取消人員）	補償決定件数（（）内は刑の執行による補償）	請求棄却件数（（）内は取消人員）	一日一人あたりの補償金額
25	2617	736(8)	715(2)	21(8)	228円
26	2539	902(16)	858	44(16)	235
27	1566	574(17)	539(3)	35(17)	226
28	1202	373	361(5)	17	233
29	869	301(5)	270	31(5)	254
30	925	211(4)	187	24(4)	245
31	710	279(1)	271	8(1)	254
32	566	184(3)	161	23(3)	247
33	412	133(1)	126(2)	7(1)	295
34	463	113	106	7	276

昭和三〇年六月一六日の東京高裁の決定（東京高決昭三〇・六・一六特二・一二・六〇六）は、これを認めた。抗告人は、昭和二七年一〇月九日饗応の事実で逮捕、その後同年一〇月三〇日まで勾留をうけ、翌一〇月三一日金銭供与の事実について公職選挙法違反として起訴された。しかし、審理の結果無罪となつたので、刑事補償法第一条第一項にもとづき補償を請求した。ところが原審は、あの逮捕、勾留は不起訴となつた饗応の事実にもとづくもので、金銭供与の事実によるものではない。しかも、その拘禁中取調べられたのは逮捕事実、公訴事実のほか、更に別の事実、すなわち公訴事実である金品の出所にまで及んでいる。したがつて「不起訴処分についても補償する旨の規定がない限り、その拘禁日数の一部についても補償しないのを相当」とする、として請求を棄却した。そこで、直ちに抗告したところ、東京高裁は、逮捕・勾留の事実と起訴の事実が違うことは事実であ

るが、「抗告人が勾禁中どの事実につきどのような取調を受けたか」を実質的に考察すると、「抗告人は公訴事実に基いて逮捕、勾留されたものではないが、別罪による勾禁中に公訴事実についての取調を受けたものであり、換言すれば、抗告人に対する公訴事実の取調は別罪による拘禁を利用したものというべきであり、もし別罪による拘禁がなければ公訴事実に基いて抗告人を逮捕し、勾留したであろうと推認し得るところである」とのべ、

【18】「刑事補償法第一条の未決の勾留又は拘禁とは、公訴事実に基いて逮捕状、勾留状が発せられ、これが執行を受けた場合のみならず、別罪による既存の勾留を利用し、公訴事実について取調を受けた場合に於ける既存の勾留をも含むものと解するを相当とする」(東京高決昭三〇・六・一六特二・一二・六〇六)。

として、原決定を取消し、公訴事実に関する取調の行われた一〇月一四日から同三〇日まで一七日間の補償請求を認めた(なお、原審の「別罪についても取調をうけたのであるから」という理論に対しては「しかし公訴事実逮捕事実以外の第三の被疑事実に関する取調があつても、それが起訴され有罪の判決があつたとすれば、併合罪の一部につき無罪、他の一部につき有罪の裁判があつた場合に該当するから或は刑事補償法第三条第二号により、裁判所の健全な裁量により補償の全部をしないことが許され得るかも判らないが、右第三事実について起訴を受けることなく、従つて公訴事実については無罪の判決宣告のみであつた場合にその未決勾留に対し刑事補償を与えないということも毫もいわれがないところである」として退けている)。

形式論理をもてあそばず、取調の実状に即して未決の勾留・拘禁の有無を決しよう、という東京高裁の態度は(横井・大意四六頁も同旨)、最高裁によつても確認されることになつた。すなわち、最高裁は、昭和三〇年一二月二四日大法廷の決定で、不起訴となつた事実にもとづく勾留中、無罪となつた事実の取調をした場合、その拘禁も刑事補償法第一条にいわゆる「未決の抑留又は拘禁」にあたる、としたからである。本件特別抗告人は、昭和二八年二月五日A覚せい剤取締法違反容疑事実で逮捕、同九日勾留執

行、同月二六日釈放されたが、同年一一月三〇日BC覚せい剤取締法違反容疑事実で起訴、翌年五月二八日B事実は無罪、C事実は有罪となつた。そこで右弁護人は、勾留状記載のA事実は不起訴になつたが、その勾留はBC事実の取調に使われたのであるから、と補償を請求した。これに対し第一審決定は

「当裁判所が審理判決した昭和二十八年（ろ）第一二六号覚せい剤取締法違反被告事件につき、併合罪中の一部につき無罪、他の一部につき有罪の裁判があつたのであるから、補償の一部又は全部をする、しないかは、当裁判所の裁量によるものであり、覚せい剤取締法違反被告事件の重大性に鑑み本件につき、請求人の請求を棄却するを相当と認め」（昭二九・一二・二七金沢簡易裁）。

るとした。そこで弁護人は、原審が併合罪の一部が無罪となつたものと解し、刑事補償法第三条第二号により請求を棄却したのは、法令の解釈を誤つたものだ、として抗告したところ、抗告裁判所は

「刑事補償法の解釈としては、特定の被疑事実につき未決の抑留又は拘禁を受け、これが後に刑事事件として起訴せられ無罪の裁判を受けた場合に右抑留又は拘禁による補償を請求することができるものであつて、未決の抑留又は拘禁を受けてもこれが後に不起訴となつた場合はその抑留又は拘禁は補償の対象とならないことが明かである。従つてたとえ不起訴処分になつた被疑事実につき取調中他の被疑事実が発覚しこれが刑事事件として起訴せられ無罪の裁判があつたからといつて、不起訴処分になつた被疑事実の抑留又は拘禁に対して補償の請求はなし得ないものと解すべく、本件は不起訴処分になつた事件の取調中発覚した別個の事件につき起訴せられそれが無罪となつたことを理由として右不起訴処分になつた事件により逮捕勾留された期間の補償を求めるものであるから、補償請求権がなく本件の補償請求は理由がない。原決定文によると、

原決定が本件につき刑事補償法第三条第二号に則り併合罪の一部につき無罪、他の一部につき有罪の裁判があつたものであるから補償の一部又は全部をするしないかは、裁判所の裁量によるものであるとして、抗告人の請求を棄却したことは所論のとおりであつて、原審は法令の解釈適用を誤つたものではあるが、結局抗告人の請求を棄却するを相当と認め、これを棄却したことは相当であるから原決定を取消す理由とはならない。論旨は採用し得ない」（昭三〇・三・七名古屋高裁金沢支部）。

として抗告を棄却した。そこで弁護人は、更に、最高裁に対し、刑事補償法一条の補償は逮捕状または勾留状に記載された事実について無罪の裁判があつた場合だけだ、という原審決定の解釈は憲法四〇条に反する、として特別抗告を申立てた。これに対し最高裁大法廷は、全員一致で、原決定を取消し、本件を名古屋高裁に差戻すこととした。

【19】「おもうに、憲法四〇条は、「……抑留又は拘禁された後、無罪の裁判を受けたとき……」と規定しているから、抑留または拘禁された被疑事実が不起訴となつた場合は同条の補償の問題を生じないことは明らかである。しかし、或る被疑事実により逮捕または勾留中、その逮捕状または勾留状に記載されていない他の被疑事実につき取り調べ、前者の事実は不起訴となつたが、後者の事実につき公訴が提起され後無罪の裁判を受けた場合において、その無罪となつた事実についての取調が、右不起訴となつた事実に対する逮捕勾留を利用してなされたものと認められる場合においては、これを実質的に考察するときは、各事実につき各別に逮捕勾留して取り調べた場合と何ら区別すべき理由がないものといわなければならない。

そうだとすると、憲法四〇条にいう「抑留又は拘禁」中には、無罪となつた公訴事実に基く抑留または拘禁はもとより、たとえ不起訴となつた事実に基く抑留または拘禁であつても、そのうちに実質上は、無罪となつた事実についての抑留または拘禁であると認められるものがあるときは、その部分の抑留及び拘禁もまたこれを包含するものと解するを相当とする。そして刑事補償法は右憲法の規定に基き、補償に関する細則並びに手続を定めた法律であつて、その第一条の「未決の抑留又は拘禁」とは、右憲法四〇条の「抑留又は拘禁」と全く同一意義のものと解すべきものである」（最判昭三〇・一二・二四刑集一〇・一二・一六九二）。

捜査の実状からすれば当然の裁判、ともいえるが、旧刑事補償法の制限的な解釈（本文二参照）を思うとき、裁判官の人権意識の前進を示すもの、ということができよう。

この決定によつて、不起訴となつた事実に基く抑留・拘禁でも、そのうちに無罪となつた事実についての抑留・拘禁とみられるものがあれば、その部分も補償の対象となる、という方向が確立された。次に示す二つの決定は、いずれもこの線に沿つたものである。

最初の事案は、請求人は昭和三二年四月二五日A詐欺事実で逮捕、引つづき勾留を受け、五月四日一旦釈放されたが即日B詐欺事実で勾留、B詐欺事実は起訴された。その後C詐欺事実が追起訴され、別に係属中のD詐欺事実と併合審理の結果、BCD全部につき無罪の言渡をうけた。そこで請求人はB詐欺事実に基く勾留とA詐欺事実に基く勾留の補償を請求した。

【20】「前記被告事件記録に依れば、同年四月二十五日の逮捕及び同月二十七日の勾留の原由となつた詐欺被疑事実は請求人に係る三回に亘る詐欺被告事件の起訴事実中には包含されて居らないけれども右逮捕勾留中に右起訴事実について捜査官が捜査を為している事実が明かであるから右逮捕の日から再度勾留状の発せられた同年五月四日迄の抑留拘禁は無罪となつた起訴事実の取調の為めに利用されている訳であるから此の抑留拘禁の日数も亦その後の抑留拘禁の日数と共に補償の対象たるべきものと解すべきである」（福島地判昭三四・五・二七下級刑集一・五・一三五三）。

第二の事案は次のとおり。請求人は昭和二五年六月一九日窃盗被疑事実により逮捕、つづいて勾留され、同年七月一一日今度は強盗殺人被疑者として逮捕・勾留された。そして窃盗被疑事実は不起訴となり、強盗殺人被疑事実だけ起訴されたが、結局無罪となつた。そこで請求人は、「請求人に対する右窃盗容疑による二二日間の逮捕勾留は窃盗容疑に名をかり強盗殺人事件の捜査の手段としてなされたものであつて、請求人は右逮捕された六月一九日より強盗殺人の罪名による逮捕状の執行を受けるまでの間も強盗殺人事件の取調を受けたものである」として、窃盗被疑事実に基く逮捕、勾留中の補償をも要求した。これに対し裁判所は、「前記清水簡易裁判所裁判官の発した逮捕状の窃盗の事実については不起訴となつたが、その逮捕の翌日である昭和二五年六月二〇日以降は引続き請求人は右強盗殺人の事実につき取調を受けて来たことが明らかである。してみれば、窃盗事件に関する逮捕勾留は強盗殺人事件の取調に利用されたものというべきである」と事実認定し、

【21】「ところで刑事補償法第一条の「未決の抑留又は拘禁」の中には、不起訴になつた事実に基く抑留拘禁であつても、そのうちに実質上は、無罪となつた事実の取調のために利用された抑留拘禁がある場合には、その場合における抑留拘禁をも包含するものと解するを相当とするから、本件において請求人は前記窃盗事実についての逮捕勾留を利用して強盗殺人の取調が行われた期間の抑留拘禁についても補償を請求し得るものといわなければならない」（東京高判昭三五・七・一三刑集一三・五・四一九）。

とその請求を認めた。いずれも正当である。

ところで、刑事補償法第一条第一項の予想している典型的な場合は、逮捕、勾留という未決の抑留

又は拘禁のあとに、無罪の裁判がつづく場合である。それでは、公訴棄却の裁判後、再起訴され、無罪となつた場合、前者の抑留についての補償を、刑事補償法第一条第一項ですることができるか。問題は、もう少し複雑な形で起つた。すなわち、請求人は詐欺罪で逮捕、勾留、起訴（前借金名儀による一〇万円騙取と女を特飲店に就職斡旋したという二つの訴因）されたが、「起訴状の公訴事実冒頭に余事記載がなされていた」という理由で公訴棄却の判決をうけた。そこで検察官は冒頭の余事記載をとり、第一の訴因事実だけを詐欺罪として起訴した。審理は身柄不拘束のまま行われたが、無罪となつたので、請求人は、第一条第一項に基いて、公訴棄却以前の抑留、拘禁についての補償を請求した。この事件につき裁判所は

【22】「ある事件につき公訴棄却の裁判がなされた後、さらに、該事件の公訴事実と全く同一の公訴事実が再度起訴され、その事実につき、実体的審理がなされた結果、無罪の判決が言渡されて確定したような場合には右公訴棄却の裁判は中間的な性質を有するものとして、たとい再起訴後には抑留、拘禁をされておらず、前の公訴棄却になつた事件につき、抑留、拘禁されていたにしても訴訟の前後を包括的に一体とみて、抑留拘禁の原由となつた事実につき、無罪の裁判を受けたものとして同法第一条の規定に基いて刑事補償をなすべきものと解するのが相当である」（福岡地裁久留米支部昭三三・五・三一第一審刑集一・五・八五四）。

として請求を認めた。正当であろう（こういう考えをとると、再起訴の際、第二の訴因事実について再起訴の手続をとらない、という行為は、同一の訴訟手続で、公訴の取消あるいは訴因の一部撤回をする行為と同一とみなされる。したがつて、二五条を適用する場合に生ずる第二の訴因事実についての面倒を避けることができるわけである）。

(2)　刑事補償法第二五条の法意　新刑事補償法は、補償の範囲を、無罪の裁判を言渡されたものから、実質的に無罪とみなされるものにまで拡張した。それが第二五条の規定である。ところで、この規定はどのように解釈されているか。

次に示す大阪高裁の決定理由は（事実関係の記載がない）、裁判所の本条に対する基本的な解釈態度を表明している。少し長いが、そのまま引用しよう。

【23】「刑事補償は、国家が冤罪者に対してその損害を塡補するもので、国家賠償が国家機関の故意又は過失を補償の要件としていること、即ち不法行為による損害の賠償であるのと異なり、故意又は過失のない場合、即ち適法行為による損害を補償しようとするもので、一般的な国家賠償制度の特例をなすものである。しかしてこの特例をどの範囲に認めるかが問題であつて、有罪の裁判をなすに至らなかつたすべての場合にその損害を補償すべきであるということは理論としては成り立つところであろうが、現実の問題としては国家の財政等の面から種々の困難が伴うところより政策上、現行の刑事補償法は冤罪者であること極めて明瞭なる場合と、それ以外の場合との間に一線を引き刑事補償は前者に対してのみなすことに制限している。刑事補償法第二五条第一項に「免訴又は公訴棄却の裁判を受けた者は、もし免訴又は公訴棄却の裁判をすべき事由がなかつたならば無罪の裁判を受けるべきものと認められる充分な理由があるとき」とあるのは、このことを意味するものであつて、換言すれば、免訴又は公訴棄却の裁判がなくそのまま公訴事実についてその実体の審理が続けられたならば、無罪の裁判を受けるものと認められる場合であつて、更にそう認められる充分な事由のあること、例えば、他に真犯人が検挙せられて有罪の判決を受けたとき、公訴事実が真実であつても何ら罪となるべき事実を包含していないとき等を指すのである。故に実体的に罪責あること明白な場合はもとより、実体的に罪責ありや否やそのいづれとも未だ明らかに認定し得ない場合は、これに該らない趣旨であると解するのが相当である」（大阪高決昭三一・八・三〇高裁特報四・一八・四六二）。

このように第二五条の規定を制限的に解釈する考えをとるかぎり、第二五条に基く補償請求が、なかなか認められないのも当然である。以下四つの決定は、いづれも、第二五条に基く補償請求を棄却している。

第一の事案は次のとおり。検察官は、強姦罪の告訴の取消があつたので、共同暴行の事実だけを切り離し、暴力行為等処罰に関する法律違反として起訴した。これに対し、一審公訴棄却、二審有罪の判決があり、上告の結果、原判決破棄、暴力行為等処罰に関する法律違反の公訴を棄却する、の判決言渡があつた。そこで、弁護人は「(告訴取下)がなかつたとするも強姦罪としては無罪の裁判を受くべきこと明か」だとして六二日間の勾留に対する補償を請求したところ、最高裁は、

【24】「前記当裁判所の判決は、請求人等の前記強姦の事実につき、告訴の取消があつたことを理由として、その強姦の手段としての共同暴行に対する公訴を棄却しているのであつて、右の如き告訴の取消がなかつたとすれば、たとい起訴にかかる事実が強姦の手段としての暴行行為のみについてのものであつても、裁判所は当然強姦罪としてこれを審判し、有罪の判決を言渡すべきものであつたことは、右判決の全趣旨に徴し疑を容れないところである」(最判昭二八・九・七刑集七・九・一八〇七)。

として請求を棄却した。強姦をしておきながら、という最高裁の気持も判るが、しかし、公判の途中で告訴が取消されたのでなく、起訴以前に取消されたのを、検察官が無理に被告事件に仕上げたことを考えると、告訴の取消がなかつたならば、と考えること自体に無理がある。更に又、本件の実体は強姦であるにしても、裁判所に判断を求められているのは暴力行為等処罰に関する法律違反の事実であるから、強姦罪に訴因、罰条の変更がなされない限り、本来告訴がないことを理由とする公訴棄却はあり得ない筈である(「暴力行為等処罰に関する法律」は親告罪でないから告訴を必要としない)。したがつて、弁護人のいうように「(告訴取下)がなか

つたとするも強姦罪として処罰するは格別暴力行為等処罰に関する法律違反としては無罪の裁判を受くべきこと明か」な事案であつた（横山・刑事補償一〇〇頁）。

第二の事案は、請求人は昭和二五年政令三二五号占領目的阻害行為処罰令一条、二条違反として逮捕、勾留され最高裁で免訴の判決をうけた。そこで逮捕、勾留中の補償と裁判に伴う損害の補償（後出一六一頁参照）を請求した、というものである。この請求に対し、最高裁は次のようにのべて請求を棄却した。

【25】「しかしながら、本案の第一、二審判決、前記上告審の免訴判決及び第一審以来の訴訟の経過並びに当該訴訟記録等に徴すれば、占領目的阻害行為処罰令違反の公訴事実につき刑事補償法二五条所定の「もし免訴……の裁判をすべき事由がなかつたならば無罪の裁判を受けるべきものと認められる充分な事由がある」ものとは到底認められない」（最判昭三三・三・七刑集一二・三・四五六）。

請求を「到底」認められない理由が何かははつきりしないが、請求人が「アカハタ」の後継紙「平和のこえ」を運搬頒布したという事実に争いがないからであろう。政令三二五号違反事件と刑事補償の問題については、【27】のところで論じよう。

第三の事案は、ABCという三つの強姦未遂事実につき起訴され、BCの点は無罪、Aは告訴が不適法であるとして公訴棄却の言渡をうけた請求人が、A強姦未遂被疑事実に基く逮捕、勾留一四九日の補償を申立てた、というもの。裁判所はこれに対し、逮捕、勾留一四九日は、もつぱら、A事実の取調についてなされたもので、BC「強姦未遂の事実については、逮捕、勾留等の処置はなされていない、それ故、本件逮捕、勾留はこれらの事実についての嫌疑に基くものとは思料し難い」とし、公訴棄却の言渡をうけたA事実に、果して適法な告訴がなされていたとすれば無罪になる、という充分な理由があつたかどうか、を公判調書で検討する。そして

【26】「要するに、被告人を犯人なりと断定するには合理的な疑いをさしはさむ余地が存するかもしれないが、被告人の犯行としての嫌疑はきわめて濃厚であるといえるから、右公訴事実につき適法な告訴があつたならば、果して被告人は無罪と断定し得るに足りるか否か、この点、極めて微妙なものがあるのではなかろうか」（前橋地判昭三四・六・一〇 下級刑集一・六・一五二七）。

として補償請求を認めず、結局全部補償を拒否した。無罪となつたBC事実に対する補償を認めない本件決定の不当はいうまでもないが（A事実に対する勾留中、少しも、BC事実に対する取調をしなかつたのであろうか）、公訴棄却の裁判をうけたA事実に対する裁判所の判断にも問題がある。というのは、裁判所は一方で、

「本件事案（A事実のこと）の内容についても実体的審理を遂げ詳細に事案を検討し、その判決理由においてもその点を比較考量した上で断案を下していること、被告人は裁判所において終始右公訴棄却となつた事実を否認し、検察官提出の多くの書証を認めず、ために多数の証人を尋問したり現場検証をもなしていることなど、本件公判の審理の経過、および事案の軽重等を考え合せるのに、前記無罪となつた事実を除いて右公訴棄却の事実だけについても、被告人を、さきのような期間逮捕し勾留する必要が充分存在したことを認めることができる。」

とのべて、一四九日の勾留がA事実の審理を遂げるのに必要であつた、としているからである。そのように長期間審理したあげく、なお且、有罪の心証をつかめなかつたのなら、それは実質的無罪以外の何ものでもない。一四九日間の審理にも拘らず、なお合理的な疑いを容れる余地があるのに、

「無罪と断定し得るに足りるか」どうか疑わしい、ということで（無罪判決は、無罪と「断定」される場合だけに言渡されるのでないことは、刑訴法の常識である）、補償を拒否した裁判所の態度は、論理性を欠いたもの、といわなければならない。

さて最後の事案は、【25】と同じく、政令三二五号違反事件に関するものである。請求人は政令三二五号違反被疑事実に基いて逮捕、勾留、起訴されたが、同事件が最高裁で免訴となつたので、最高裁に、この「免訴の裁判は、形式上は免訴であつても、その裁判の理由において明白に本来無罪であること即ち冤罪者であることの判断が示されており、「無罪的免訴」ともいうべく憲法四〇条、刑事補償法一条の無罪の裁判にあたるものである。かりに本件が同法一条の場合にあたらないとしても、前記被告事件については、本来無罪の裁判がなさるべきであつたのに、「占領状態の継続」という事実があつたために無罪の裁判がなされずに免訴の裁判がなされたのであつて（平和条約発効という事実が免訴の裁判をすべき事由であると解すべきではない）、同法二五条にいう免訴の裁判をすべき事由がなかつたならば無罪の裁判を受けるべきものと認められる充分な事由があるときにあたるものというべきである」として、平和条約発効の日までの逮捕、勾留による補償と条約発効により失効した政令三二五号による「不当、違法な勾留」による補償を請求した。この請求に対し、最高裁は

【27】「しかし、憲法四〇条は、何人も、抑留又は拘禁された後、無罪の裁判を受けたときは、法律の定めるところにより、国にその補償を求めることができると規定し、また、刑事補償法一条が刑事補償を受くべき場合を無罪の裁判を受けた場合に限定したものであることは、同条と同法二五条とを対比することによつて明らかである。しかるに、所論大法廷判決は、請求人に対し六名の裁判官は、昭和二五年政令三二五号

は平和条約発効と同時に当然失効し、その後に右政令の効力を維持することは憲法上許されないとの理由により、また、五名の裁判官は、右政令は、平和条約発効後においては、本件に適用されている昭和二五年六月二六日附及び同年七月一八日附連合国最高司令官の指令の内容が憲法二一条に違反するから、右指令を適用するかぎりにおいて、平和条約発効と共に失効するとの理由により、以上一一名の裁判官により本件を犯罪後の法令により刑が廃止された場合に当るとして免訴を言渡したのであつて、これをもつて所論のごとく本来の無罪的な免訴の裁判をしたものでないことは判文上明白である。従つて憲法四〇条、刑事補償法一条による補償の請求はその前提を欠きこれを容認できない。また本件をもつて同法二五条にあたる場合であるとの所論も前記最高裁判所の免訴の裁判理由に照し首肯するを得ず、その他本件において、免訴の裁判をすべき事由がなかつたならば無罪の裁判を受くべきものと認められる充分な事由のあることを認めることはできない。なお、少くとも平和条約発効の日以後の勾留は不当違法な勾留であるから補償しなければならないとの所論については、そのような勾留による補償については、刑事補償法の規定するところではなく、その対象とならないものというべきである」(最判昭三五・六・二三刑集一四・八・一〇七一)。

とのべて補償を拒否した。最高裁のいうように、刑事補償法一条に基いて補償請求することには、解釈上無理が伴う。したがつて問題は、二五条に該るかどうかにかかつている。最高裁は該らない、としたが、なぜ該らないかについては、「前記最高裁判所の免訴の裁判理由に照し首肯するを得ず」というだけで、はつきりしない。免訴の裁判言渡の直接的根拠は、「犯罪後の法令により刑が廃止された」ということにあるから、二五条の規定を形式的に解釈すれば、もし本件の場合刑の廃止がなかつたなら果して無罪の言渡がなされたであろうか、について判断すればよいことになる。そうすると、政令三二五号違反の事実については争いがないから、刑の廃止がなければ有罪、ということになり、二五条に該らない、という結論にならざるを得ない。しかし、政令三二五号の内容そのものを考えると、この結論は不当である。例えば、こんな場合はどうか。国会で普通人が違憲と考える法律が可決され、施行された、この法律違反の罪に問われた被告人の事件が裁判所に継続中、国会がこの法律を廃止した、そこで裁判所は、刑の廃止ありとして免訴の判決を言渡した、という場合である。この場合最高裁と同じ態度をとると、刑の廃止がなければ有罪、ということで、二五条による補償は拒否される。この結論の不当は、誰の目にも明らかであろう。法律そのものが間違っていたために、合憲的に行動していながら、憲法上の保障を奪われる、という奇妙な結果になっているからである。立法上の不備は勿論であるが（横山・前掲一〇五頁参照）、現行法の枠内の問題として考えると、二五条の「もし免訴の裁判をすべき事由がなかつたならば、無罪の裁判をうけるべきもの」という規定を実質的に解釈し、刑の廃止がなければ、その法律は裁判所によつて違憲とされ、したがつて無罪の言渡が被告人になされたであろう、という場合をも含む、とすることが必要なのではないか。こういう角度から、【25】【27】の決定をみると、最高裁が政令三二五号の合憲性について何の判断も下さず、形式的解釈をもつて事足れり、としている態度には、疑問があるといわなければならない（判例評釈として、横山晃一郎「政令三二五号違反と刑事補償」愛知大法学研究三巻一号）。

（二）　消極的補償条件　　新刑事補償法は、無罪となつた事件について、抑留、拘禁をうけたという事実があるとき、これに補償するとしている。しかし、次の二つの場合には、補償しないこともできる、とした。(イ)本人が、捜査又は審判を誤まらせる目的で、虚偽の自白をし、又は他の有罪の証拠を作為することにより、起訴、未決の抑留若しくは拘禁又は有罪の裁判を受けるに至ったものと認められる場合（法三1）(ロ)一個の裁判によって併合罪の一部について無罪の裁判を受けても、他の部分について有罪の裁判を受けた場合（法三2）――がそれである。第四表でみるとおり、第三条に基いて補償請求を棄却した数しか統計にはなく、それが一号によるのか二号によるのか、はっきりしない。しかし、判例集に収録されたものは、第三条二号に関するものばかりである（昭和三七年一二月末現在）。

第四表　請求棄却原因別表

<table>
<tr><th>昭和＼事項</th><th>請求手続の方式違背（15条前）</th><th>請求期間の徒過（15条後）</th><th>補償手続中断後承継なし（18条3項）</th><th>虚偽自白・有罪証拠作成・併合罪の一部有罪（3条）</th><th>同一原因で他の法律で受償（5条2項）</th><th>補償請求の理由なし（16条後）</th></tr>
<tr><td>25</td><td colspan="2">1</td><td></td><td>8</td><td>1</td><td>3</td></tr>
<tr><td>26</td><td colspan="2">13</td><td>1</td><td>10</td><td>2</td><td>2</td></tr>
<tr><td>27</td><td>2</td><td></td><td></td><td>6</td><td></td><td>10</td></tr>
<tr><td>28</td><td>4</td><td>1</td><td></td><td>7</td><td></td><td>5</td></tr>
<tr><td>29</td><td></td><td>1</td><td></td><td>3</td><td></td><td>22</td></tr>
<tr><td>30</td><td>1</td><td>3</td><td></td><td>2</td><td></td><td>14</td></tr>
<tr><td>31</td><td>2</td><td>1</td><td></td><td>3</td><td></td><td>1</td></tr>
<tr><td>32</td><td></td><td></td><td></td><td>2</td><td></td><td>18</td></tr>
<tr><td>33</td><td>1</td><td>1</td><td></td><td>2</td><td></td><td>2</td></tr>
<tr><td>34</td><td></td><td>1</td><td></td><td>3</td><td></td><td>3</td></tr>
</table>

(1)　第三条二号の合憲性　憲法四〇条は「何人も、抑留又は拘禁された後、無罪の裁判を受けたときは、法律の定めるところにより、国にその補償を求めることができる」としているが、これは、抑留、拘禁された後無罪の言渡をうけても、併合罪の他の部分について有罪の言渡をうけたとき補償しないことができる、という第三条二号の規定を違憲とするかどうか。昭和二九年一一月二九日の仙台高裁の決定は、この点についても触れている。抗告人は、昭和二七年一月一九日窃盗容疑で逮捕、勾留され、贓物牙保と窃盗の併合罪で起訴、審理の

結果賍物牙保の点は無罪となつたが、六六個の窃盗中六三個が有罪の言渡をうけた。そこで抗告人が原審裁判所に補償を請求したところ、一月一九日から二月一日までの勾留は無罪となつた賍物牙保の事実の取調に使つたものであるから、として補償したが、二月一日から一〇月一三日までの勾留に対する補償は、これを認めなかつた。抗告人は、そこで、勾留状に記載された窃盗被疑事実は不起訴となつたのだから、すぐ釈放しなければならないのに、勾留を更新したのは不当勾留である。又原決定は第三条二号を適用して補償の一部を拒否したが、第三条二号は憲法四〇条に違反する、として抗告した。裁判所は、第三条二号の合憲性について

【28】「憲法第四十条の「法律の定めるところにより云々」とは、抑留又は拘禁という事実と無罪の裁判という事実とがあつた場合にも法律によつて補償請求権の発生を拒むことを認めるという趣旨でないこと所論のとおりである。しかし、刑事補償法第三条第二号の規定する「一個の裁判によつて併合罪の一部について無罪の裁判をうけても、他の部分について有罪の裁判をうけた場合」には、その両者の勾留に対する内在的関係の度合によつて、例えば無罪になつた部分の罪が軽微でそれだけでは勾留に価しなかつた場合には実質上拘禁との関係においては無罪の裁判がなかつたものといえるのであつて、かくの如くにしてその両者の勾留に対する内在的関係の度合によつて補償の全部又は一部が拒まれるのは当然のことであつて、このことは何等憲法第四十条の趣旨に反するものではない」（仙台高決昭二九・一一・二二九高裁特報一・二・七一）。

とのべ、不当勾留という点についても抗告人の主張を認めず、抗告棄却の言渡をした。必ずしも説得性のある論理とはいえないが、結論は正当であろう（第三条の合憲性を、権利そのものの中に内在している制限の顕在化として把握しようとする見解がある（横井・大意五九頁以下）。この考えによると、補償請求に対する制限が許されるのは、補償の請求が権利の濫用とみられるような場合に限られることになる。正当であろう）。

(2) 補償するかしないかの規準　第三条二号にあたる事由があるとき、「裁判所の健全な裁量」によつて、補償の一部又は全部をしないことができる。問題は、いうまでもなく、健全な裁量とは何か、どういう場合に補償を拒否するのか、その規準は何か、にある。憲法四〇条が補償の条件に何の制限もつけていないことを考えると、補償を拒否できるのは、請求がいかにも不当であり、権利の濫用だ、といえるような場合でなければならない。では、それは具体的にどういう場合か。この点に関する判例を、まず、第三条二号にあたらない、として補償請求を認めた決定からみていくことにしよう。

最初の事案は、強盗と窃盗の併合罪につき、前者が無罪、後者が有罪となつたので、原審裁判所は、請求により、強盗被疑事実に基く勾留に対し、補償を認めた、ところが検察官は、これに対し、併合罪の一部である窃盗は有罪となつており、又これに対する勾留さえあるのだから、強盗罪に関する補償の一部は減殺すべきである、と即時抗告を申立てた、というもの。東京高裁は、これに対し

【29】「所論、強盗罪と窃盗罪との審理手続関係につき審究するに、原審において右両罪が併合審理された後昭和二十五年十二月六日同一の判決によつて裁判されたことは事実であるが、窃盗罪による拘禁（勾留）は昭和二十四年十一月二日に開始して同年十二月二十日保釈決定の執行によつて終り、強盗罪による拘禁（逮捕及び勾留）は翌昭和二十五年四月五日に開始して（……）同年十二月六日無罪云渡による釈放のときを以て終つて居り、双方併存の時期はなかつたのであるから、強盗罪が無罪になつたことを基準として補償の要旨を認定する場合窃盗罪による拘禁の事実は無関係なること明白である。故に、これを以て強盗罪に関する補償の全部又は一部の減殺事由とする所論も亦理由がない」（東京高判昭二六・七・二〇特二一・一五五）。

として抗告を棄却した。併合罪を構成する各犯罪被疑事実についてそれぞれ勾留がなされ、双方併

存の時期がないときは、無罪となつた事実に基く勾留の補償を認める、というわけである。しかし、併合罪を構成する各犯罪被疑事実それぞれに勾留があり、かつ独立している、という場合は、そう多くない。あるのは、併合罪の一部犯罪被疑事実に基いて一個の勾留がなされた、という場合である。次にあげる三つの決定は、いずれも、二個以上の犯罪被疑事実に対して一個の勾留がなされ、併合罪として審理の結果、一部無罪、一部有罪という判決をうけた事案に対するものである。

第一の事案は、抗告人は昭和二六年六月二〇日強盗予備現行犯として逮捕、同二三日勾留状執行、翌七月一二日一旦釈放されたが即日A銃砲刀剣不法所持被疑事実で起訴、勾留された、そして同年七月二八日B銃砲刀剣不法所持被疑事実の追起訴があり、七月三一日、A事実は無罪、B事実は有罪となつた。そこで六月二〇日から七月三一日まで四二日間の拘禁の補償を請求したところ、原審は「本件は刑事補償法第三条第二号に当り、なお、たとい形式的には有罪となつた罪につき勾留状が発せられていなくとも強盗予備の勾留中にも、また無罪となつた罪の勾留中にも有罪となつた罪の取調べが行われているのであつて、補償の全部をしないのが相当であると認める」として請求を棄却したので、抗告をした、というものである。大阪高裁は、これに対し、六月二〇日から七月一二日までの拘禁は、強盗予備の被疑事実に基くもので、同事件は不起訴となつており、刑事補償法は不起訴となつた事件に対する補償を認めていないから、この期間の請求は認められない、とし（抗告人のいうところをきくと、強盗予備と銃砲刀剣不法所持というように罪名は別であるが、一つの事実のように思われる。この点はおくとしても、六月二〇日から七月一二日までの拘禁を全部強盗予備事実についての取調に使つた、という認定には疑問が残る）、七月一二日以降の補償については、

【30】「ところで普通一般に最初の起訴事実によりすでに勾留されていれば、仮りに追起訴事実で勾留す

べき場合でも、重ねて勾留することなく手続を進めるのが通常であるから、併合審理の結果起訴事実の方が無罪となつた場合にも、追起訴事実の方がそれだけで勾留の要件を充たしている場合には、本号の適用があるものと解する。それゆえに起訴事実が無罪になつたからといつて常に当然その全部を補償すべきではなく、併合罪を構成するそれぞれの罪と勾留との実際上の関連に留意し、有罪を言渡された追起訴事実の方だけで実質的に勾留の要件を備えていたかを検討した上補償の許否を決定しなければならないのである」（大阪高判昭二七・二・九刑集五・一・九七）。

と一般論をのべた上、補償するを相当と認めた。

第二の事案は次のとおりである。請求人は昭和三〇年四月二八日器物毀棄、脅迫容疑で逮捕、ひきつづき勾留をうけ、同年五月一二日強姦致傷、器物損壊で起訴、翌三一年四月一九日勾留が取消され、同年五月八日の強姦致傷の点は無罪、器物損壊は有罪となつた。そこで広島高裁に勾留中の補償を請求したところ、

【31】「本件については公訴事実中有罪となつた器物損壊についてのみ勾留がなされ、無罪となつた強姦致傷については勾留状が発布されていないものであるところ、前記認定事実及び記録に徴すると、強姦致傷の点についても勾留の要件を具備しているものと認められるのに拘らず、検察官が同公訴事実について敢て勾留の請求をしなかつたのは、器物損壊に関する既存の勾留によつて完全に身柄拘束の目的を達していると解したことによるものであり、又裁判所も同様の見解によつて新な勾留状を発布しなかつたものであることを看取し得る。してみれば、器物損壊に関する勾留は強姦致傷の公訴事実に利用せられその効果は被告人の身柄につき後者にも及んでいたものと解すべく（昭和二八年（あ）第五〇四七号昭和三〇年一二月二六日最高裁判所第三小法廷判決参照）、斯る場合無罪となつた強姦致傷の点について相当な刑事補償を請求し得

ることは刑事補償法第三条第二号の法意に照し明瞭である」(広島高判昭三一・六・三〇刑集九・六・六三八)。

として、全拘禁日数三五八日中、懲役四月の刑期に裁定又は法定通算された未決勾留日数一二三日、器物損壊の公訴事実の審理に必要な六〇日を差引いた、残り一七五日に対する補償を認めた。

第三の事案は、請求人は昭和三二年九月二三日窃盗容疑で逮捕、つづいて勾留、起訴されたが、同年一二月七日贓物故買、同牙保で追起訴、更に贓物収受容疑で同年一二月二〇日追起訴された。しかし、東京高裁で、窃盗の点は無罪、他は有罪の言渡をうけたので、補償を請求した、というもの。裁判所は、【30】と全く同じ(語句に一、二違いがあるだけ)一般論をのべた後、

【32】「当裁判所において前記窃盗罪についてのみ無罪にし、他の贓物故買、同牙保、同収受罪については有罪の裁判をしたものであるところ、被告人は前記窃盗罪については勿論他の贓物故買、同牙保、同収受罪についても当然実質的に勾留の要件を具備していたことが認められるのである。それ故請求人の請求にかかる三八一日間の勾留日数のうち少くとも昭和三二年一二月七日の贓物故買、同牙保罪についての起訴以降の勾留期間についてはこれを補償すべきいわれはないけれども、請求人が窃盗罪の被疑事実に基き逮捕され、続いて勾留された昭和三二年九月二三日以降同年一二月六日迄の計七五日間の勾留日数については当然その補償をなすべきものと認められるのであつて、すなわち此の範囲内において請求人の本件補償の請求はその理由があり認容せらるべきものである」(東京高判昭三四・五・二六刑集一二・五・五三九)。

と、請求の一部を認めた。

以上三つの決定から、併合罪について一個の勾留しかなく、しかもその一部だけが無罪となつた場合の裁判所の思考過程を、次のように一般化することができよう。勾留が無罪となつた事実に基くか

どうかを問わず、併合罪を構成する各犯罪被疑事実に勾留の要件が備っていたかどうかをみ、勾留の要件が備っていたときには、勾留中の取調の実状に即して、無罪となった事実の取調に使われた勾留日数の補償を行う、というようにである（【28】の事案も、この一般化の方式にあてはまる）。

それでは、第三条二号にあたる、と判断されたのはどういう場合か。

請求人は、昭和二五年一〇月九日保険金詐欺容疑で起訴、勾留され、同年一一月一五日保険金騙取を目的とする殺人容疑事実（これについても勾留あり）の審理を併合、翌年一一月一〇日詐欺及び殺人被告事件につき懲役一三年の言渡をうけた。しかし控訴の結果、昭和二七年七月八日殺人の件は無罪、詐欺の点は有罪（懲役二年未決勾留日数中三百日通算）となり、有罪部分についてした上告も棄却されたので、勾留中の補償を請求した。控訴裁判所は、

【33】「右殺人被告事件の起訴がなかったとしたら勾留の期間が更らに短縮せられたであろうことも考えられることではあるが、以上の諸事情を充分に参酌して前に説述したとおり本件無罪となった殺人被告事件の勾留期間が全く有罪に確定した詐欺被告事件の勾留期間と競合しており殺人罪のみに対する勾留期間が皆無であること並びにその未決勾留日数中の大半に当る三百日が右詐欺罪の刑に通算される旨の言渡を受けておる等両者の勾留の実質的な関係を考慮するときは被告人の殺人罪に関する勾留に対しては刑事補償法第三条に則り特に全部の補償をするを要しないものと認めるのが妥当であると考えられる」（東京高判昭二八・一一・一一特三九・一七二）。

とのべて、補償を拒否した。併合罪を構成する各犯罪事実それぞれに勾留がある、という点で【30】【31】【32】と異り、それが全く独立したものでなく競合する部分をもつ（昭和二五年一一月一五日から昭和二七年七月八日まで六〇〇日間の勾留は競合している）という点で【29】とも異っている。しかし、実質的に考察すれば、拘禁という事実は一つであるから、

【30】【31】【32】で一般化した方式を適用して、拘禁中実際に殺人罪の取調にあてた日数を補償することとは十分考えられる。それをしなかつたのは、競合日数六〇〇日の半分にあたる三〇〇日が詐欺罪の刑の中に通算されたからと「以上の諸事情」(被告人が殺人の嫌疑をかけられたのは、次のような事情による。実母を被保険者とする保険金詐欺をした頃、被告人と魚釣にいつたAが川の淵で水死した。しかも、Aが水死したのは、被告人がAの兄に釣針を買いにやつた間であり、更に悪いことには、被告人がAに生命保険をかけていたのである。Aと被告人との間に血縁関係はない。)を考慮したからであろう。

第三条二号にあたる、として補償を全部拒否したが、問題がある事案に次の決定がある。請求人は、物価統制令違反容疑で逮捕、勾留され、物価統制令違反幇助罪と横領罪の併合罪として起訴された。しかし、前者は大赦令で免訴となり、後者が無罪となつたので、二八日間の補償を請求した。そこで、名古屋高裁は、【30】の一般論をのべた後、免訴となつた物価統制令違反被疑事実は、もし大赦がなければ有罪の言渡をうけた事案であるから、この部分についての補償を二五条ですることはできない、とし、第三条二号の適用について

【34】「本件は元来物価統制令違反の事実について捜査が開始され、これによつて請求人が逮捕勾留されて取調が進められたもので、その事実の取調に従つて、附随的に前記横領の事実が発覚するに至つたものであると認められるので、勾留の事由となるべき主たる事実は物価統制令違反の事実であるということができるし、しかもこの事実については有罪の裁判がなされたであろうという状況が認められる」(名古屋高決昭三〇・八・二五高裁特報二・一八・九〇六)。

として、「刑事補償をするのは相当ではなく、しかも、全部をしないものとするのが妥当である」と判示した。第三条二号の「他の部分について有罪の裁判を受けた」という中に、「もし免訴にあたる場合がなかつたら有罪となつたであろう」という場合を含めて考えることに問題があるし、もし高裁

が認定したとおりの勾留事実関係なら、無罪となつた横領罪についての勾留がなかつた、ということで、請求の理由なし、として棄却すればよかつたのではないか。

(3)　未確定の有罪部分と刑事補償の請求　ところで、併合罪中一部無罪の裁判だけが確定し、有罪部分がまだ確定していないとき、無罪部分についての刑事補償の請求は許されるか。昭和三五年九月二〇日の神戸地裁の決定は、この請求を認めた。請求人は、起訴事実である騒擾罪については無罪、政令三二五号違反罪については免訴の言渡をうけたが、追起訴された公務執行妨害、傷害の事実について有罪となつた。そこで有罪部分について控訴する一方、確定した無罪部分につき、一審判決言渡の日までの全勾留日数の補償を申立てた。裁判所は、これに対し

【35】「元来刑事補償の裁判は、無罪の裁判（又はこれに準じる場合）等が確定している場合でなければできないことは当然であるが（同法七条参照）、裁判が有罪部分と無罪部分に分れ、しかもその無罪部分が確定し、当該無罪の裁判の対象となつた事件についての勾留による補償が可分的に判断できるときは、まずその部分について補償決定することが請求者の権利を早急に行使させるために必要であると解するところ、その両者が重複する部分について補償決定をすることが請求者の権利を早急に行使させるために必要であると解するところ、その両者が重複する部分についての勾留の補償は未確定の有罪判決がいずれかに確定するまでは、補償の裁判を停止し、その確定をまち、改めて補償の裁判をするとすべきか、有罪判決の確定をまたず、その確定を仮定して、刑事補償法第三条第二号の規定を類推し、健全な裁量により補償の内容を決定し、後に至りもし有罪部分が無罪となり、それが確定したときには、その無罪の裁判をした裁判所が改めて右第三条第二号の適用を排除したうえ、その部分についての刑事補償を決定するとすべきかの二態様が考えられ

るが、後者の見解は、仮定のうえにたつものではあるが、早急に請求権を行使させ、請求者に一応の満足を与え得られるのみならず、後に有罪部分の判断に変更がない限り一挙に補償の裁判を終了させられる結果となつて簡明であることよりして前者の見解に比しより優れたものと解する」（神戸地判昭三五・九・二〇下級刑集二・九〜一〇・一二九七）。

とのべて、未確定の有罪部分の取調に使われた一三日間の勾留日数を除いた、残り一五五日間の勾留に対する補償を認めた。便宜主義的な法解釈であるが、結論は容認できる。

(三)　補償の内容　抑留、拘禁による補償は、原則として、その日数に応じてなされる（法四Ⅰ）。ところで、補償の対象となる抑留、拘禁は、正当な手続によるもの、未決のものに限られるか。次の決定は、この点にふれる。請求人は、強姦致傷容疑で勾留され、一審で強姦、猥褻拐取の事実につき有罪となつたが、控訴の結果、前者は無罪、後者は有罪となつた、ところで、勾留の原因となつた強姦が無罪となつた以上、即日釈放されなければならないのに、翌日釈放された。そこで請求人は、その二日間の拘禁に対する補償を裁判所に請求した。しかし、裁判所は

【36】「刑事補償法によつて請求し得る場合は同法第一条に規定するとおりであつて、就中勾留による補償の請求を為しうるのは、勾留された被告人がその勾留に係る被告事件につき無罪判決の言渡を受けてこれが確定した場合であつて、この時請求に理由があれば、勾留状によつて勾留された期間に対し一日二百円以上四百円以下の割合による補償が為されるのである。しかるに本請求は右主張自体によつて明白である如く、勾留被告事件が無罪となり勾留状が無効となつたので、当然釈放されるべきものを当該公務員の故意或は過失によつて即日釈放されず、翌日に至つて釈放され二日間不当に拘束されたので、その二日間に対する補償を求めるというのであつて、これは右の如く勾留状による勾留期間に対する補償を求めるというのとは異

り、勾留状によらない不当拘束に対する損害賠償を請求するものと認められるのである。しからば、このような請求は公務員が職務を行うについて故意又は過失によって違法に他人に損害を加えたときは、その賠償の請求を為すことのできる旨を定めた国家賠償法に基づいて為すのならば格別、勾留状による勾留期間に対する補償を求めるものである刑事補償法に基づいて補償を求めうる筋合のものとは到底認められないのである」（東京高判昭三四・二・五刑集一二・一・一）。

として、その請求を棄却した。刑事補償の本質、法文の形式的解釈からすれば当然であるが、本件のように二日間の不当拘束だけを切り離さず、勾留状による勾留と不当拘束とを一体として請求した場合、二日間の不当拘束については本法による補償を認めない、とすることが、果して、実際問題として当をえているかどうか、疑問がある。勾留につづいて不当拘束が行われた場合、又不当拘束に続いて勾留がなされた場合、不当拘束の点についても、本法による補償を認めるのが、妥当であろう（新刑事補償法審議の際、政府委員は、刑事補償手続で国家賠償事件を代替させることもありうるとした。すなわち、「尚研究いたしました結果、この国家賠償と刑事補償との本質の問題はともかくといたしまして公務員に故意過失がある場合におきましても、請求する側の者が例えば四百円以内で十分満足するような場合とか、或いは取り敢えず四百円以内の金額だけでも簡単な手続で早く受け取りたいというような場合には、国家賠償法によらずに選択的に刑事補償による場合も実際問題として考えられるわけでございます」。（横井・大意一〇二頁））。

それでは、A窃盗被疑事実で逮捕、勾留中、B窃盗罪の刑の執行が始まり、受刑中、A窃盗被疑事実につき無罪、の言渡をうけた場合、収監後の拘禁は、本法の補償の対象となるか。神戸地裁は、このような事案につき、収監後、判決言渡までの期間は、刑の執行と勾留状の執行とが競合している事態と考え、

【37】「右のような場合には懲役刑の執行としては一個の拘禁のみが存在するものと解すべきであるから重複する未決の勾留日数は刑事補償を受け得べき未決の拘禁日数には含まれないものというべきである。蓋し、若しそうでないとすれば不当に申請人に利益を与えることになるからである」（神戸地判昭三三・五・一四第一審刑集一・五・八四四）。

として、その期間の請求を認めなかつた。結論は正当であるが、収監後にも勾留の効果が継続している、と考える考え方には問題がある。大体、定役に服する未決拘禁者という観念がおかしいし、更に勾留の必要、目的からいつても、このような場合、勾留の効果が継続しているとはみられないからである。

ところで、抑留、拘禁による補償は、日数に応じてなされる、というのが原則であるが、第三条及び第五条第二項の場合は、その例外をなす。問題となつたのは、次の事案である。抗告人は、中古自転車一台窃取容疑で逮捕、勾留、ひきつづき起訴されたが、審理中、時計二個窃取したという容疑のほか四個の窃盗被疑事実で追起訴をうけ、併合審理の結果、六個の公訴事実全部につき有罪、懲役二年の言渡をうけた。しかし控訴したところ、原判決破棄、時計二個窃取の点のみ有罪（懲役一年、原審における未決勾留日数中六〇日通算）、他の五個の公訴事実につき無罪、の判決があつたので、一旦は有罪部分について上告したが、思いなおし、上告を取下げ、無罪部分についての補償を請求した。ところが原審は

「前掲被告事件において請求人が有罪の言渡を受けた事実は、さきに摘示した時計二個の窃盗の事実であつて、事案は比較的軽微であり、又右被告事件記録によれば、請求人はその窃盗の現行を被害者に感知されたため、その場で同人に犯行を告白し、贓品を返還して陳謝したこと、請求人は当時定

まつた住居及び職業を有していたことが明らかであり、逃亡する虞があつたものとも認められないから、右事実について捜査し審判するのに請求人の身柄を拘束する必要があつたものとは認めがたい。」

と、勾留が中古自転車窃取のためだけになされたことを認めながら

【38】「ところが控訴審は、その判決書の示すとおり、無罪としたイ事実（中古自転車窃取事実――筆者）による第一審の未決勾留日数中六〇日を有罪としたロ事実（時計窃取事実――筆者）の本刑に算入し、仙台高等検察庁検事磯山利雄作成の照会の件回答と題する書面により明らかであるとおり、検察官もまた控訴申立期間中（控訴申立の日の前日まで）の未決勾留日数及び控訴申立以後の未決勾留日数……は右本刑に法律上当然通算さるべきものとして刑の執行を指揮し、現にその執行中であることが認めらる。而して、未決勾留日数の全部又は一部が本刑に算入された場合に、その算入された未決勾留について補償をすることは、被拘禁者に対し不当な利益を与えることとなるから許されないものと解すべきである」（仙台高裁昭三四・六・一八最高裁刑集一三・一・八三〇）。

とした。これに対する異議申立、異議申立棄却決定に対する特別抗告は、いずれも、棄却された。併合罪を一罪として観念するかぎり、どの事実に基く勾留であろうと、それは併合罪に基く勾留である。果してそうならば、どの事実に基く勾留であろうと、これを併合罪の刑期の中に通算することに差仕えのあろう筈はない――これが判例の論理であろう。しかし、併合罪が本来数罪であり、ただ科刑上一罪とみなされるにすぎないこと、更には又、無罪を言渡された事実と有罪となつた事実との間には「科刑上一罪」という関係が成立しないことを考えると、無罪となつた事実に基く勾留を、有罪の

刑期の中に通算することには問題がある。第四条が第三条の場合を除くといっているのは、第三条二号に即していうなら、併合罪中一部が有罪となり、それが独立して勾留の要件を充たし、現実的にも勾留日数の一部がそのためにさかれたという場合、その勾留日数は、補償の対象となる抑留、拘禁日数から除かれる、という意味で、本件のような場合を含むというのではない。その意味において「補償の原因たる拘禁の事件の勾留日数を其と一個の裁判の形で便乗はしたものの明らかに無関係であるものの時計の件に算入したのが法律的に当然であるのか否か」という抗告人の疑問には理由があり、「全ての衣類臥具給食一切を官給された上の若干の収入の道のある受刑生活の一日と全ての日常必需全般を原則として自弁であり且つ実質的に自弁して来たあのおそろしい二六四日間と一律に一日三五〇円の割の差引算定の是か非か」という抗議には、聴くべきものが含まれている。

（四）　補償金額　一日二百円以上四百円以下という補償金額の決定は、「拘束の種類及びその期間の長短、本人が受けた財産上の損失、得るはずであった利益の喪失、精神上の苦痛及び身体上の損傷並びに警察、検察及び裁判の各機関の故意過失の有無その他一切の事情を考慮」（法四Ⅱ）してなされる。しかし、補償請求を認める決定の場合、何が補償金額の決定にあづかって力があったか、判然としない。「一切の事情」が考慮されているからであろう。しかし、それにしても、一日平均二五〇円前後という補償金の額が、十年近く殆んど変動をみせていない（第三表参照）ことは、注目に値する。「一切の事情」の補償決定理由への具体的表明が、切に望まれる（この点についての法社会学的分析として、横山・刑事補償一〇二頁以下）。

高等裁判所判例

地方裁判所判例

簡易裁判所判例

判例索引

大審院判例

最高裁判所判例

著者紹介

龍《たつ》　岡《おか》　資《すけ》　久《ひさ》　東京地方裁判所判事
横《よこ》　山《やま》　晃《こう》　一《いち》　郎《ろう》　愛知学院大学助教授

総合判例研究叢書　刑事訴訟法（13）

昭和37年9月10日　初版第1刷印刷
昭和37年9月15日　初版第1刷発行

著作者　龍　岡　資　久
　　　　横　山　晃　一　郎

発行者　江　草　四　郎

東京都千代田区神田神保町2ノ17
発行所　株式会社　有　斐　閣
電話九段（331）0323・0344
振替口座東京370番

新日本印刷・稲村製本

総合判例研究叢書 刑事訴訟法(13)(オンデマンド版)

2014年10月1日　発行

著　者　龍岡　資久・横山　晃一郎
発行者　江草　貞治
発行所　株式会社 有斐閣
〒101-0051　東京都千代田区神田神保町2-17
TEL　03(3264)1314(編集)　03(3265)6811(営業)
URL　http://www.yuhikaku.co.jp/

印刷・製本　株式会社 デジタルパブリッシングサービス
URL　http://www.d-pub.co.jp/

AG539

ISBN4-641-91065-0　Printed in Japan